清崎駅に停車中の本長篠行モハ37号。左の側線には有蓋車、右側には木材輸送用の長物車が留置されている。　　　1968.8.3　清崎　P：和久田康雄

はじめに（田口鉄道前史）

田口鉄道（後の豊橋鉄道田口線）は、愛知県東部奥三河に存在した一地方鉄道である。1968（昭和43）年９月１日に営業廃止となった。

この東三河と言われる地域の中でも田口鉄道が立地した北・南設楽郡は長野県境に位置し、山々に囲まれた豊川水系の寒狭川沿いの地域である。したがって交通の便には恵まれなかったものの、愛知県第二の都市・豊橋市の中心からこの地域への鉄道敷設案は過去に数多く存在した。

その最初は、豊川稲荷への参詣客輸送を目的に計画された豊川鉄道である（後に国有化され現在はJR飯田線の豊橋～大海間にあたる）。1894（明治27）年７月の御油鉄道（御油～豊川間）など他の計画案も多数あったが、豊川鉄道は先願したことを根拠に請願をし、当初計画の軌間762mmを1,067mmに変更することと、将来奥三河の玄関口である南設楽郡設楽村大字大海までの延長を条件として1896（明治29）年１月24日免許が下りた。同年２月に資本金40万円の豊川鉄道株式会社が設立され、本社を豊橋市花田に置いた。当初計画から軌間変更に合わせ起点も下地から国鉄豊橋駅に隣接することとし、そのため豊川に架橋する必要が生じて、資本金も50万円に増額した。

かくして第一期工事として豊橋～新城間、第二期工事を新城～大海間として1896（明治29）年12月１日に工事が開始された。翌1897（明治30）年７月15日に豊橋～豊川間8.7kmが開通。同月22日に豊川～一ノ宮（現・三河一宮）間3.3kmが延伸、翌1898（明治31）年４月25日には新城までの9.7kmが開通し、第一期区間の21.6kmが完成した。1899（明治32）年11月11日には国鉄豊橋駅に隣接して吉田駅を開設、翌1900（明治33）年９月には第二期区間の新城～大海間を完成させ、吉田～大海間28.0kmを全通させた。

これで奥三河の入口までは鉄道が開通したが、その後、会社が延長申請した川合村（現在の飯田線三河川合）までの17.4kmは財政難から難航し、1904（明治37）年４月に仮免許状を返納してしまった。なお大海駅は1903（明治36）年に長篠駅と改称したが、1943（昭和18）年８月の国有化に際し大海駅に戻された。

寒狭川沿いの三河田口駅を発車した本長篠行モハ30形。　1965.3　三河田口―清崎　P：清水　武

1. 奥三河への鉄道計画

(1) 田口鉄道の発足

豊川鉄道は大海までの路線を実現したが、その後も奥三河へ、さらには南信濃への延長を目指す計画が数多く立てられた。なかには三河鉄道(現在の名鉄三河線など)の沿線から足助を経て飯田まで結ぶという計画もあり、1906(明治39)年の信参(三)鉄道などのように会社まで設立され免許を受けたものまであったが、当時は私設鉄道の免許条件は厳しく途中で破綻するなど計画だけに終わったものが多かった。そのため一時はバス輸送が計画され、1919(大正８)年７月には東三自動車運輸(東三バス)が設立されて８月から営業を開始した。これが後に田口鉄道の沿線となる地域を結んだ。

そんななか、豊川鉄道の終点長篠(現・大海)駅から三輪村大字川合に至る17.28kmの鳳来寺鉄道が計画された。これは豊川鉄道の株主35人が発起人となり、長篠駅から川合に至る1,067mmの蒸気鉄道を設立するもので、1920(大正９)年５月17日資本金130万円の会社として創立総会を開催した。

この会社は奥三河への足と名刹鳳来寺への参拝客を目当てに豊川鉄道が設立した別会社で、本社も同じ場所に置き、実務も豊川鉄道が行う子会社であった。1922(大正11)年に着工し、翌1923(大正12)年２月１日に長篠～三河川合間が営業開始された。この時、現在の本長篠(開業時の鳳来寺→鳳来寺口)までのルートは大海から直進せず、長篠城址を迂回する道をとった。この時点では田口への動きは見られなかった。ちなみに鳳来寺鉄道は後に豊川鉄道などともに国有化され、現在はJR飯田線の大海～三河川合間となっている。

一方、奥三河田口方面への足は東三バスが走ったものの、田口までは１往復、海老までの途中折り返しが２往復という有り様で、満足のいくものではなかった。ここにきて北設楽郡の中心地である田口町の関谷守男町長をはじめとする地元有力者が1924(大正13)年６月１日、鉄道敷設に対する出資を要請する請願書

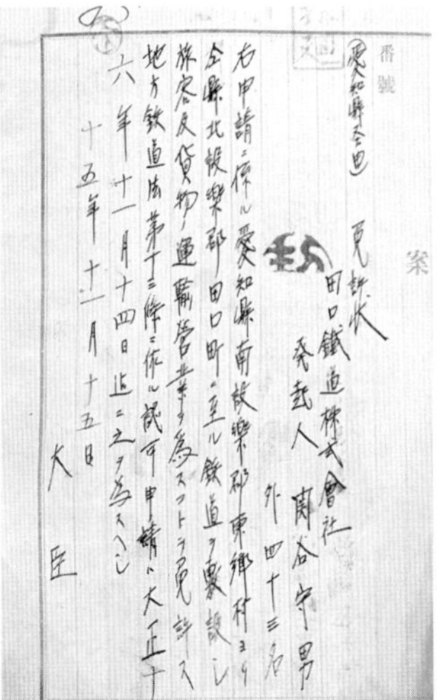
番號

案

免許状

田口鐵道株式會社
発起人　関谷守男
外四十三名

右申請ニ依ル愛知縣南設楽郡東郷村ヨリ仝縣北設楽郡田口町ニ至ル鉄道ヲ敷設シ旅客及貨物ノ運輸営業ヲ為スコトヲ免許ス
地方鉄道法第十三條ニ依ル認可申請ハ大正十六年十一月十四日迄ニ之ヲ為スヘシ

十五年十二月十五日

大臣

資料1-1
鉄道省文書 田口鉄道より
「大正16年11月14日までに地方鉄道法第13条よる認可申請を為すべし」の記述がある。
提供：澤内一晃

■東三河付近 広域路線概念図

作成：編集部

寒狭川の谷底に位置する三河田口駅で発車を待つモハ37。
1965.2.7　三河田口　P：清水　武

モハ36号が清崎駅に到着。連結器は自連化され、また前照灯はシールドビーム２灯化されている。　1968.8.3
長原前—清崎
P：和久田康雄

本長篠駅で飯田線佐久間行と並んだモハ15+14号。飯田線は横須賀色が標準になる前のぶどう色１色の時代である。
1966.3　本長篠　P：清水　武

を宮内省へ提出した。なぜ宮内省へ要請したかというと、地元の力だけでは鉄道敷設は困難であったものの、幸いこの地には広大な森林資源があり、その多くは御料林として宮内省が管理するものだった。そこで大口出資者を求める運動を起こし、数度にわたる陳情の結果、宮内省の存在に目を付け参加を要請した。

交渉の結果、出資の内諾を得て、1926(大正15)年11月15日付で関谷守男を発起人代表とする43名の田口鉄道株式会社に免許状が下りた。この時の起点は豊川鉄道の終点長篠(現・大海)であり、その内容は延長14哩32鎖、建設費300萬円とするもので、1927(大正16)年11月14日までに「地方鉄道法第13条よる認可申請を為すべし」との条件が付けられた(資料1-1参照)。

1927(昭和２)年６月27日、起点を鳳来寺鉄道の鳳来寺(現・本長篠)に変更申請した。その結果豊川鉄道・鳳来寺鉄道、鳳来寺などの地元資本を加え、同年11月7日宮内省を筆頭株主とする資本金300万円の田口鉄道が設立された。本社は鳳来寺鉄道と同じく、豊川鉄道本社内に置かれた。しかし免許期限内に工事着工はできず、1927(昭和２)年11月12日には工事施工期限を１年延長申請した。

(2) 田口鉄道の経路選定

このような経過を経て田口鉄道はスタートした。役員は地元の町村の代表のほか宮内省から１名、豊川鉄道から１名の選出で、豊川鉄道出身の倉田藤四郎が社長を務める。

最初の総会では起点を長篠から鳳来寺口に変更した。この申請書は、出資者の一員である名刹鳳来寺の

名刹鳳来寺の玄関口となる鳳来寺駅には、沿線随一の木造２階建て駅舎が存在していた。 1965.3.9 鳳来寺
P：荻原二郎

意向を受けたものであることには触れず、単純に起点を「旧 南設楽郡東郷村から新 南設楽郡長篠村」と記すだけで、理由は「変更区間は寒狭川沿岸断崖絶壁の個所、県道と併行敷設する工事の実施甚だしく困難のため線路変更の止むをえざるによる。一面変更線路は古刹鳳来寺門前門谷に停車場を設け参拝旅客の誘致に便益せんとす」としている。この変更は1928(昭和３)年５月12日に工事着手届を提出前に決定されている。

これに先立ち同年３月12日には「免許なった鉄道線路は、目下実測中だが大部分は山林中にして全線一時施工認可申請をしようとすると相当の時日を要するので差し当たり実測の完了した長篠村から海老町に至る区間に対し急速工事施工したい」との申請を出し、以後の分割施工の契機となった。当初見積もりの全線建設費300万円は宮内省頼みのところがあり、大口出資者４名のうち宮内省が25,000株125万円、豊川鉄道が15,000株75万円、鳳来寺鉄道が4,000株20万円、鳳来寺が2,500株12万5,000円と300万円のうち2,325,000円と77.6％を占めたが、残り約100万円の地元負担分は発起人の中にも全額払い込むのが困難とするものもあったが、申請に際し宮内省からは「各駅移出木材並に木炭数量表」という貨物輸送量の予測資料の一部まで提出してもらっており、その手前もあって苦渋した(資料２参照)。

2. 建設工事

(1) 建設開始の条件

いよいよ建設工事が開始されるが、宮内省からは下記のように厳しい条件が付された。

1. 段嶺(だんれい)村字竹桑田に於いて寒狭川右岸に停車場を設置し、帝室林野局が設置する大輪支線(林野局が敷設する森林鉄道の大輪支線)と連絡を図ること。
2. 線路の選定および工事の設計に関して帝室林野局と協議することはもちろん、設計書類が完成し、主務大臣への申請前に帝室林野局の承認を受けること。
3. 工事中並びに竣工時にはその都度帝室林野局に報告すること。
4. 工事中、必要があると認める場合は、帝室林野局より技術員を派遣してこれを監督することがあること。

このことが後に三河田口駅の位置をめぐって、鉄道側から宮内省に事前協議がなかったことに対し宮内省からクレームが付き、地元意見と宮内省の意見の違いから、経営陣の内輪もめの原因となる。

資料２ 各駅移出木材並ニ木炭数量表　　出典：鉄道省文書 田口鉄道 所蔵：国立公文書館

種別／駅名		田口	清崎	段嶺	海老	玖老勢	長楽	合計
木炭	貫	1,345,008	114,000	346,424	64,784	104,896	156,544	2,131,656
	噸	8406	713	2,165	405	656	978	13,323
木材伐出年額	石	147,490	579	68,664	35,100	29,350	52,483	333,666
	噸	29,498	116	13,733	7,020	5,870	10,497	66,734

(2) 第１期工事

1928(昭和３) 年５月、第１期区間として鳳来寺口～三河海老間11.6kmの工事が始まったが、工事開始後10月24日には動力を蒸気から電気に変更することにした。これは勾配線であることを電化の理由としているが、「本鉄道は地形上勾配極めて急、且つ全線殆ど曲線なり、電気を使用しない場合は不利益なり、石炭によるよりも水力電気を利用する関係上便利である」としている。

1,500V電化としたのは直通運転を実施する予定の豊川・鳳来寺鉄道が、愛知電気鉄道(愛電)の豊橋直通乗り入れに備えて1925(大正14) 年より1,500V電化されていたためで、それに合わせて田口鉄道も決断した。電力供給者は「矢作水力株式会社」とした。当時、第１次世界大戦の影響で石炭価格が高騰し、その対策として電化が推奨される動きもあった(養老鉄道もこのことを電化の条件に挙げていた)。

鳳来寺鉄道との間に鳳来寺口駅の共同使用契約を協定し、「変電所設置について『当社変電所水銀整流器及び変圧器の予備設置』については建設費を節約するため予備機の設置を省略する」とし、別途事故時における鳳来寺鉄道との電力融通契約を結んだ。さらに監督官庁からの「動力変更に伴い動力車両数２両では不足とする」との照会事項への回答として「車両費をできるだけ節約するため最小限度とし、姉妹会社である豊川鉄道より借用使用する」と車両直通利用の認可を申請している。さらに車両修繕設備についても「小修繕を為すに適する工具類の設備に止め、他に機械類の設備を設けず、大修繕を要するものは豊川鉄道株式会社、又は名古屋市日本車輌製造株式会社に依託して修繕をなす」としている。これは監督官庁への1929(昭和４) 年１月13日付での回答による。

トンネル工事の難航や電化で費用が嵩んだが、1929(昭和４) 年５月22日に鳳来寺口～三河海老間が電化路線として開通した。この時に製造された車両は1929年１月30日に申請された電動車２両だけであり、当初計画した貨車10両(有蓋車３両、無蓋車７両) は製造されなかったが、これは電化に伴う建設費の増加に対応した措置と思われる。また海老変電所の工事が遅れたが、先の電力融通契約が功を奏し、鳳来寺鉄道からの融通電力で開業した。自社変電所の完成は10月19日であったが、初めから借用前提で開業というのも珍しいことであった。

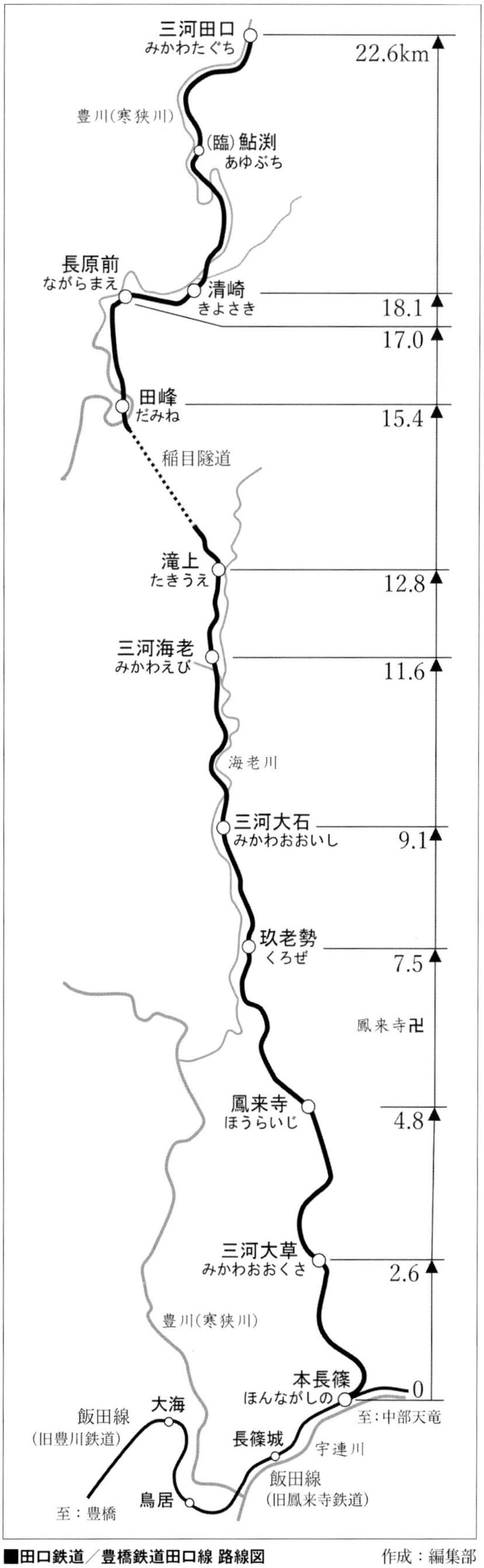

■田口鉄道／豊橋鉄道田口線 路線図　　作成：編集部

田口鉄道唯一の電気機関車、デキ53号。両側面で外観が大きく異なる(反対側側面は11頁上写真参照)。　1955年頃
所蔵：NRA(名古屋レール・アーカイブス　P：神谷静治)

(3) 第2期工事
―当時愛知県内最長の稲目トンネル工事―

第2期工事区間とされた三河海老以遠のうち、清崎～三河田口間は経路上の問題が生じたため清崎までが先行して建設されることになり、1929(昭和4)年4月8日に施工認可を受けて同月22日着工した。この区間には難題として三河海老～田峰間の稲目隧道が存在していた。この隧道は総延長1,510mに及ぶもので、難工事が予想されたことから、宮内省が測量を担当するなど技術的援助を受けたことで、短期間で竣工させることができた。

1930(昭和5)年12月10日には三河海老～清崎間が開通する。当初の工事方法書によると、本区間の開通に合わせて貨車15両(有蓋車5両、無蓋車10両)を製作するとされていたが、今回も車両の増備は行われなかった。段戸御料林の入口となる田峰に到達したものの、相変わらず輸送用の貨車は迎車に頼ることになった。前年3月8日付で「電気機関車・電車1両を製作する申請」を提出していたが、増備されたのは1929(昭和4)年4月に完成したデキ53の1両だけで、修繕設備についても既認可の通りとしている。しかし同年4月13日には、豊川鉄道の電気機関車50号をはじめ鳳来寺鉄道の車両を含み、電車・貨車の直通認可を受けている(別表-1)。

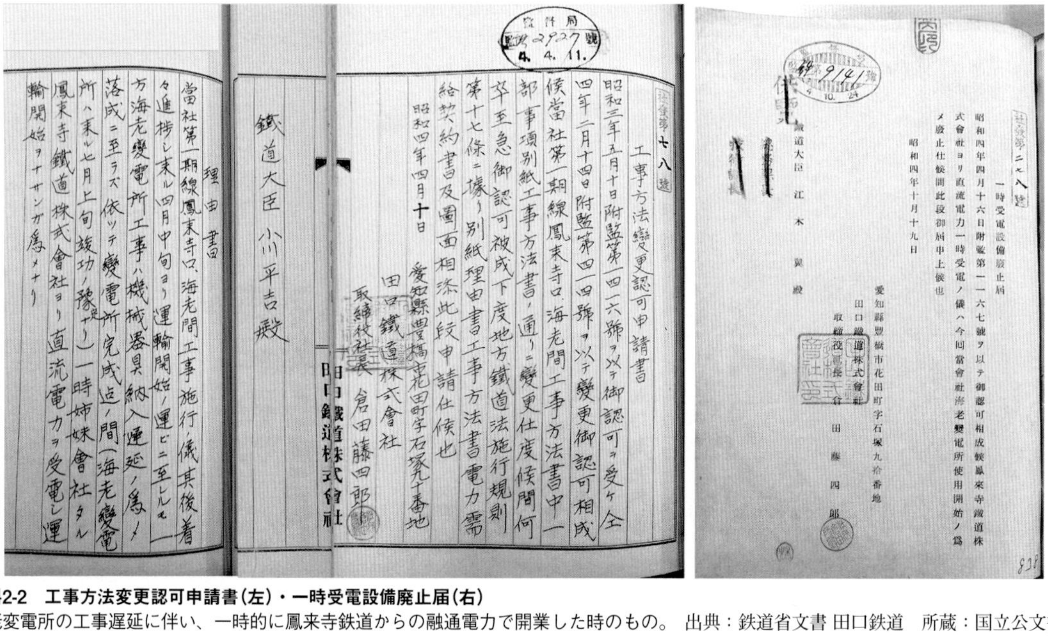
社發第七八號
工事方法變更認可申請書
昭和三年五月十日附監第一四一六號ヲ以テ御認可ヲ受ケ仝
四年二月十四日附監第四一四號ヲ以テ變更御認可相成
候當社第一期線鳳来寺口海老間工事方法書中一
部事項別紙工事方法書ノ通リニ變更仕度候間何
卒至急御認可被成下度地方鐵道法施行規則
第十七條ニ據リ別紙理由書工事方法書電力需
給契約書及圖面相添此段申請仕候也
昭和四年四月十日
愛知縣豊橋市花田町字石塚九十番地
田口鐵道株式會社
取締役社長　倉田藤四郎
鐵道大臣　小川平吉殿

理由書
當社第一期線鳳来寺口、海老間工事施行ノ儀其後着
々進捗シ来ル四月中旬ヨリ運輸開始ノ運ビニ至レルモ一
方海老變電所工事ハ機械器具納入遅延ノ為メ
落成ニ至ラズ依ツテ變電所完成迄ノ間(海老變電
所ハ来ル七月上旬竣功ノ豫定ナリ)一時姉妹會社タル
鳳来寺鐵道株式會社ヨリ直流電力ヲ受電シ運
輸開始ヲナサンガ為メナリ

社發第二七八號
一時受電設備廢止屆
昭和四年四月十六日附監第一一六七號ヲ以テ御認可相成候鳳来寺鐵道株
式會社ヨリ直流電力一時受電ノ儀ハ今回當會社海老變電所使用開始ノ爲
メ廢止仕候間此段御屆申上候也
昭和四年十月十九日
愛知縣豊橋市花田町字石塚九拾番地
田口鐵道株式會社
取締役社長　倉田藤四郎
鐵道大臣　江木翼殿

資料2-2　工事方法変更認可申請書(左)・一時受電設備廃止届(右)
海老変電所の工事遅延に伴い、一時的に鳳来寺鉄道からの融通電力で開業した時のもの。 出典：鉄道省文書 田口鉄道　所蔵：国立公文書館

別表1　電車・貨車の直通認可
（豊川鳳来寺鉄道所属車両）

出典：鉄道省文書 田口鉄道　所蔵：国立公文書館

■豊川鉄道所属車両　1934（昭和９）年２月20日申請・３月12日認可

種　別	形式・称号	記号・番号	両数	記　事
電気機関車	電機・50	50	1	
	電機・52	52	1	
４輪電動ボギー客車	電11	11～15	5	
	電２	21・24	2	
附随客車	附21	22・23	2	
	附201	201・202	2	手荷物郵便合造
ボギー客車	ホロハ１	ホロハ１・２	2	２・３等合造
	ホハ１	ホハ１・２	2	３等
有蓋貨車	ワム１	ワム１～20	20	
	ワ200	ワ200～229	30	
有蓋緩急車	ワブ200	ワブ200・201	2	
無蓋貨車	ト50	ト50～52	2	
	ト53	ト53～62	10	
	ト63	ト63～82	20	
無蓋緩急車	ト83	ト83	1	
三枚側無蓋緩急車	ト30	ト30～49	20	
材木車	チ１	チ１～６	6	
６輪連結タンク機関車	機１	１～４	4	蒸気機関車
	機５	5	1	

■鳳来寺鉄道車両　1934（昭和９）年２月20日申請・３月12日認可

種別	形式・称号	記号・番号	両数	記事
電気機関車	電機100	100	1	
４輪ボギー電動客車	電２	20	1	
	電１	1	1	
４輪ボギー客車	ホロハ１	ホロハ１・２*	2	２・３等合造
有蓋貨物緩急車	ワブ100	ワブ100～103	4	
無蓋貨車	ト100	ト100～116	17	
６輪連結タンク機関車	機１	1*	1	蒸気機関車

*：豊川鉄道所属車両との重複があるが原文ママ

出典：鉄道省文書 田口鉄道
所蔵：国立公文書館

別表1-2
■豊川鉄道車両の直通運転について
1934（昭和９）年２月20日申請・３月12日認可

種別	形式・称号	記号・番号	両数	記事
材木車	チ11	チ11～16	6	

出典：鉄道省文書 田口鉄道
所蔵：国立公文書館

(4) 第３期工事
―田口延長をめぐる混乱―

いよいよ最終工区の清崎～田口間の工事に着手となるが、田口の市街地は清崎に比べ4.5km奥で、しかも約200mの高地にある。当初計画された寒狭川沿いの田口駅予定地からは2.1kmも離れ、地元は納得せずスイッチバックで市街地まで到達させる案や塩津迂回線案などが検討されたが、建設費も多額となるため、1930（昭和５）年２月１日の役員会では当初の寒狭川沿いの田尻に決定された。しかし、「終点は田口に近く」との地元の声は止まず、５月10日の役員会で田口の街に近い「大久賀多に変更」との変更案を議決した。

この旨、関係町村には連絡したものの、これでは帝室林野局の森林鉄道との連絡は不可能となるため宮内省は納得せず、しかも出資の際に約束した事前協議もなかったことから了承されなかった。結局１ヶ月後の役員会でひっくり返えされて当初案に決定され、関谷社長は辞任した。なお、大久賀多については地形的には入道島第２隧道と第３隧道の中間に位置し、後年1952（昭和27）年２月に側線１本を設置して、木材搬出の拠点として使用した。

この間の1929（昭和４）年10月29日付の工事施工認可申請期限の延期申請には「田口町大字清崎11哩23鎖より終点同町大字田口に至る区間の敷設工事施工認可申請延期期限は本年10月30日迄の処右期限を更に昭和５年６月30日まで延長」の認可を願い出ている。その理由として上記に記した区間の「残区間に対しては既に三・四線の比較線実施設計完了せしも亥地方多数株主の熱誠なる希望と是が予算の関係上いまだ決定するに至らず。確定までは今後相当の時日を要すべき見込に依り本申請をなすものなり」ということであった。実際は宮内省案に従わざるを得なかったが、その後の実際の工事入札でもひと騒動あり、７月１日に着工された。

この間4.5kmは路線の変更、寒狭川を２度横断する橋梁工事、トンネルの増加などで工事費がオーバーしたが、1932（昭和７）年12月９日付で竣工監査報告が出され、同年12月22日に全線22.6kmが開通した。1931（昭和６）年の資料では建設費の総額は300万円の予算に対し、3,605,556円と大きく超過した。その理由は鉄道省からの指示による使用レール規格の変更、トンネルの増加（24ヶ所、総延長4,107m）、橋梁17ヶ所などの要因もあり、トンネル工事では予想より土質が悪いところがあり巻き立て費用が嵩んだとなど工事費の見込み違いもあったが、一番の要因は払い込み資本金の不足による借入金の利息が大きかったことであった。これには道床厚の縮小、予備変電所の省略、貨車の新造取りやめ、中古用品の活用などの節約では追い付かなかった。この結果、「事業資金の出資総額300万円を超過するものに対しては借入金50万円の範囲内に於いて支弁するものとす」との法令に基づき補助を申請している。

飯田線車内から見た本長篠駅。停車する電車は田口鉄道（豊鉄合併前）のモハ30形で、その右の貨物ホームに田口鉄道の貨車（ワブ71）が見える。
1955.5　本長篠　P：竹中泰彦

3. 田口鉄道の運営

（1）旅客輸送

豊川鉄道で辣腕を振るった倉田藤四郎は、田口鉄道の社長としても活躍した。しかし、田口鉄道の成績は計画通りには行かず、途中駅の増設や三河海老までの途中開業以来開始した吉田までの直通運転の実施（1929年の時点で10往復という記録もある。別項目参照）で集客に努めた。この背景として鳳来寺・豊川鉄道との車両規格の統一と車両のプール運用による、直通運転契約を最初から目指した慧眼であり、「蛍電車」、「仏法僧電車」などのアイデア列車はのちの営業政策の先駆けでもあった。

倉田社長については、先の田口駅についての位置決定に不満を持つ地元役員から「田口駅から街までの道路建設について汚職の疑いがある」との声が上がり、全通後間もない1934（昭和９）年５月30日に田口鉄道社長を辞任した。しかし筆者は社長について、愛電時代に吉田（豊橋）駅への乗り入れに際し愛電豊橋線の乗り入れ用地捻出のための構内施設の移設改築、電化設備の新設等の交渉にあたった愛電出身のOBから、「豊川鉄道には手強い交渉相手がいた」との話を聞いたことがあったが、それが倉田氏だったのかも知れない。その辣腕ぶりにより、現在も飯田線の新城付近までの架線柱が愛電と共通の様式であることや、予備変電所は鳳来寺鉄道のものを当てにした車両の共用・相互乗り入れを実現させたのかも知れない。

それとは別に社長は、鳳来寺鉄道の三河川合と伊那電気鉄道の天竜峡を結ぶ三信鉄道（現在のJR飯田線の一部）の建設についても熱心で、その社債発行について豊川鉄道内でも異議があるなか社債引き受けを強行し、1934（昭和９）年８月豊川鉄道専務を、翌1935年５月には田口鉄道取締役も辞任した。退任後は、沿線の津具金山の社長など別企業で活躍した。

■別表2-1　田口鉄道運輸成績（1929～1955）　　提供：澤内一晃

年度		運輸数量		収入			総支出	営業収益	その他益金		支払利子	雑損・償却	純益	政府補助金	営業外収入
		旅客	貨物	旅客	貨物	総計									
		人	t	円	円	円	円	円	項目	円	円	円	円	円	円
1929	昭和4	105,074	4,005	15,759	3,243	23,355	29,894	−6,539		0	965	2,550	−10,054	0	
1930	昭和5	169,783	9,948	30,838	6,738	43,427	58,230	−14,803		0	33,856	66	−48,725	45,352	
1931	昭和6	215,091	12,038	41,933	8,549	57,224	63,200	−5,976		0	79,792	51	−85,819	78,235	
1932	昭和7	208,812	16,546	40,893	11,123	58,217	57,790	427		0	66,060	3,128	−68,761	90,734	
1933	昭和8	238,835	24,593	49,370	15,046	73,498	73,225	273		0	81,633	37	−81,397	99,999	
1934	昭和9	242,236	26,557	50,771	15,592	75,194	82,809	−7,615		0	61,223	266	−69,104	167,811	
1935	昭和10	230,956	29,444	50,422	19,202	77,910	84,911	−7,001		0	38,606	170,352	−215,959	196,642	
1936	昭和11	243,466	24,364	51,881	17,325	81,037	74,895	6,142		0	28,307	169,892	−192,057	191,207	
1937	昭和12	274,825	26,831	55,613	18,268	86,929	78,993	7,936		0	18,447	154,819	−165,330	164,265	
1938	昭和13	324,769	22,673	62,659	17,715	92,034	87,736	4,298		0	13,548	131,428	−140,678	140,667	
1939	昭和14	387,852	34,112	76,903	25,507	116,893	96,176	20,717		0	8,685	117,500	−105,468	105,393	
1940	昭和15	487,030	51,526	94,013	38,974	146,314	106,920	39,394	自動車	−2,589	4,739	124,850	−92,784	77,468	
1941	昭和16	556,876	61,492	107,487	46,375	169,101	135,004	34,097	自動車	−4,102	1,931	64,050	−35,986	35,947	
1942	昭和17	684,935	71,343	126,995	61,739	206,525	163,010	43,515	自動車	−7,330	75	110,900	−74,790	74,684	
1943	昭和18	805,855	63,428												
1944	昭和19	909,670	64,439	187,091	53,438	266,815	246,242	20,373	自動車	−8,622	0	109,879	−89,506	94,249	
1945	昭和20	1,397,248	50,260	369,435	60,461	485,728	321,741	163,987	自動車	−4,538	0	109,338	54,649	106,895	
1946	昭和21	1,455,537	62,901	847,986	135,609	1,018,410	967,106	51,304	自動車	53,697	0	102,300	2,701	9,320	
1947	昭和22	1,517,126	71,140	2,892,605	672,548	4,000,703	4,081,467	−80,764	自動車	7,381	0	115,821	−189,204	0	
1948	昭和23	1,121,180	60,612	8,840,093	2,761,036	12,444,049	12,246,666	197,383		0	62,880	217,610	−83,107	165,674	
1949	昭和24	1,210,667	75,894	13,956,002	4,812,196	20,705,262	20,599,316	105,946		0	50,094	184,100	−128,248	161,074	
1950	昭和25	946,581	38,056	15,101,341	4,377,375	21,412,309	20,670,714	741,594		0	4,264	227,000	510,330	0	
1951	昭和26	1,013,069	48,330	17,967,179	4,623,944	26,310,563	24,049,209	1,095,303		510,548	285,837	22,372	1,297,512		
1952	昭和27	1,018,949	35,341	21,948,256	4,257,062	29,329,027	27,029,725	1,312,658		0		1,552,744	1,615,064		302,406
1953	昭和28	1,013,057	30,613	24,975,567	4,155,272	33,581,624	32,005,196	462,295		0		2,170,000	1,634,345		1,173,050
1954	昭和29	1,111,179	29,720	26,342,701	3,854,456	33,541,109	33,478,317	−862,456		0		3,760,000	1,697,121		2,559,577
1955	昭和30	1,162,000	36,743	26,694,000	4,595,000	35,746,000	36,184,000	−1,330,000		0	183,000	5,350,000	1,720,000		3,260,000

出典：「鉄道統計年報」「地方鉄道軌道統計年報」より作成。空白は原典にデータ掲載がないもの。

デキ53号の牽引する貨物列車。ここに写る3両はいずれも国鉄からの乗り入れ車両。
1955年頃
所蔵：NRA（P：神谷静治）

(2) 貨物輸送

頼みの木材を主とする貨物輸送については1931（昭和６）年６月、宮内省出身の立元専務が帝室林野局長に提出した報告書に次のように記している。

「本鉄道開通の暁は相当官民材の輸送頻繁なるべきを期待せるものなりしが一般経済界の不況に伴い木材の価格暴落せし為、暫次出材の数量を減じ昨今僅かに少許の製板又は小白木の輸送あるに過ぎず。一面段戸御料林地原生林の本年度処分木約五万石は秋田木材株式会社に払い下げられたるものにして、該区域は本鉄道と指呼の間に位し且つ地勢及流域の関係上当然本鉄道を利用し搬出すべき箇所なるに拘らず、該会社は従来の慣行上悉く足助方面へ逆走し、三河鉄道に依りて名古屋へ輸送の計画なるを以て、予め弊社は規定運賃の割引を行い極力之が吸収策を講じたるも、同地方運送業者の画策もありて因習に囚われ賃金の得失を顧みずして、ついに交渉不調に終われり」と愚痴っぽい報告を送った。民間の（秋田）木材会社は従来通りトラックを利用して三河鉄道の西中金駅（1928年１月開通）へ輸送するなど運賃競争でも勝てなかったと弱音を吐くが、これは当時の道路状況からみて事実だったのだろうか。そもそも御料林材の算出見込にも誤算があったと考えられるともいう。

前頁別表2-1のように1931（昭和６）年からは増加に転じた貨物収入だが、旅客収入には及ばなかった。太平洋戦争が始まると旅客・貨物とも活況を呈し、1940（昭和15）年に初めて利益金を計上した。鉄道部門は1948（昭和23）年を除き運賃改訂もあり営業収益を計上したが、全業では1949（昭和24）年まで補助金頼りであった。

■別表2-2　輸送量・収入の推移（1956～1968）
出典：『鳳来町誌ー田口鉄道編』から作成

年度		輸送量		収入		
		乗客数 人	貨物合計 t	乗客 千円	貨物 千円	合計 千円
1956	昭和31	1,210	37,265	30,437	14,968	45,405
1957	昭和32	1,244	35,902	37,925	17,130	55,055
1958	昭和33	1,234	37,518	33,004	4,852	37,856
1959	昭和34	1,230	37,857	33,001	4,937	37,938
1960	昭和35	1,276	32,619	39,448	4,464	43,912
1961	昭和36	1,227	29,308	50,320	16,304	66,624
1962	昭和37	1,188	19,000	38,688	3,248	41,936
1963	昭和38	1,254	15,000	40,974	3,233	44,207
1964	昭和39	1,366	16,000	43,242	3,224	46,466
1965	昭和40	1,402	8,000	44,365	1,455	45,820
1966	昭和41	1,293	10,000	43,485	2,260	45,745
1967	昭和42	1,239	10,390	41,171	2,037	43,208
1968	昭和43	534	4,615	18,654	886	19,540

三河海老駅構内の車庫で休むモハ30形37号。
1968年　三河海老　所蔵：NRA（P：倉知満孝）

当時運行管理を委託していた国鉄の豊橋機関区に配置された田口鉄道モハ30形37号。旧豊川鉄道のモハ30形とは同型であった。田口線廃止後は豊鉄渥美線に転属、モ1712となった。
1950.8.25　豊橋機関区　P：道村　博（中本雅博 所蔵）

(3) 各社との相互直通運転

旅客の方は全線開通後の1935（昭和10）年３月４日付で愛電の車両を鳳来寺口～鳳来寺間に直通運転の認可を得て、行楽期の輸送需要に対応する策を立てた。その時の対象車両は別表-3の通りである。さらに同年には鳳来寺女子高等学園（後に愛知県立鳳来寺高等学校となり、2011年閉校）の誘致、1941（昭和16）年の県立田口農林学校（現・田口高等学校）の開設が寄与した。

この当時の愛電在籍車両のうち、「大ドス」と称した大型車両は直通対象から除かれている。この時の契約では、愛知電気鉄道・豊川鉄道・田口鉄道・鳳来寺鉄道・三信鉄道の５社協定とし、鳳来峡、鳳来寺山、湯谷、三信長瀞（浦川駅付近）、天竜下りなどへ、主として岡崎・名古屋からの旅客を誘致する季節的定期運転を目的とするものだった。編成は電動客車と付随客車の２両を原則とした。

なおこの条項が定期ダイヤでも適用されたか否かは不明だが「直通運転の乗務員は各社線毎に当該乗務員により運転すること」「自線に運用したる愛電所属の客車に対しては自線内の運賃を収得し１車１キロに付き、電動客車は４銭、附随客車は２銭５厘の割合をもって積空に不拘客車使用料を愛電に支払うものとす」

■別表3　愛知電気鉄道所属車両直通運転の件
出典：鉄道省文書 田口鉄道　所蔵：国立公文書館

車　種	形式・称号	記号・番号	両数	記　事
ボギー電動客車	1060	デハ1060～1064	5	
	1066	デハ1066～1074	9	
	3080	デハ3080～3089	9	3085欠
	3090	デハ3090	1	
ボギー附随客車	2000	サハ2000～2003	4	
	2000	サハ2007・2008	2	
	2010	サハニ2010・2011	2	
	2020	サハ2020	1	
	2030	サハニ2030・2031	2	

■別表4　三信鉄道所属車両直通運転の件
出典：鉄道省文書 田口鉄道　所蔵：国立公文書館

車　種	形式・称号	記号・番号	両数	記　事
木材車	チム1000	チム1001	1	
無蓋車	ト501	ト501	1	
	ト502	ト502	1	

■別表5　伊那電気鉄道所属車両直通運転の件
出典：鉄道省文書 田口鉄道　所蔵：国立公文書館

車　種	形式・称号	記号・番号	両数	記　事
四輪ボギー三等手小荷物合造附随車	サ100	サハユニフ101	1	
並等郵便手小荷物合造附随車	サ100	サハユニフ100	1	
四輪ボギー三等手小荷物合造附随車	サ100	サハユニフ102	1	
	サ110	サハユニフ110	1	

■別表6　三信鉄道所属車両直通運転の件
出典：鉄道省文書 田口鉄道　所蔵：国立公文書館

車　種	形式・称号	記号・番号	両数	記事
電動客車	デ301形	デ304	1	デ101形を改称

本長篠駅の貨物側線に停車中のデキ53牽引貨物列車。
1954.8　本長篠
P：竹中泰彦

としている。加えて事故・故障時などの扱い、補償などについても定めている。この協定は愛電車両の田口・三信線への乗り入れを想定したものであり、本来の豊川・鳳来寺・田口の通年運転時の基本協定は発見できなかったが、車両使用料等はこの協定から推定することができよう。

さらに1937（昭和12）年8月27日付で伊那電気鉄道の貨車と三信鉄道の電車・貨車の直通運転認可を申請した（別表-4・5）。1938（昭和13）年1月20日には自社車両（電動客車）の形式称号、記号番号の整理を届けている。さらに1940（昭和15）年1月16日には三信鉄道所属車両（デ301形電車）の直通運転の追加を申請し（別表-6）、認可されている。これで自社保有車両以外での迎車による輸送力増強策は一段落したようだ。

山合に開けた奥三河路を行く田口線モハ14号。　1965.5　所蔵：NRA（P：倉知満孝）

(4) 戦時体制下の田口鉄道

開通以来、終点田口駅から市街地への連絡バスは東三自動車が運行していたが、1939(昭和14) 年からは田口鉄道の直営となったものの、戦時の1944(昭和19)年に中断した。

その後の戦争激化により、豊橋方面からの疎開客や疎開施設の増加による旅客の増加、貨物は燃料統制によるトラック輸送からの転嫁や沿線御料林産出の木材輸送量の増加もあり、また到着貨物も増加した。皮肉なことに戦況悪化の1945(昭和20) 年に創立以来初めて純益を計上することができた。

1943(昭和18) 年10月7日には「現有自社車両は電気機関車１両、電動客車２両であり、逼迫する輸送需要に応えることは困難」とし、豊川鉄道など買収後の鉄道省による助力に感謝を述べるとともに、戦時輸送完遂のため「御省車両(電気機関車１両、電動客車２両、附随客車１両)の払い下げを願う」旨の「車両払下願」を提出して、輸送の完璧を期するとしている。この払い下げは実現しなかったが、車両のプール運用、電力の融通、車両の整備・保守については従前どおりの契約が続いたと推定される。

田口鉄道は開業以来赤字経営で、1930(昭和５) 年に45,352円の政府補助金を受けて以来の一貫した補助金頼みで、資金繰りを豊川鉄道に頼る経営を続けることになる。豊川鉄道時代には駅で鶏を飼わせ収入の足しにし、経費節減に努めるなどと辣腕を振るい、豊川鉄道の立て直しに尽力した倉田藤四郎が田口鉄道の社長となり、宮内省出身の立元祐方専務とコンビで活躍したが、前述のように倉田は三信鉄道建設に熱心で、三信鉄道への出資のための社債発行に絡んだ専行から、田口鉄道、豊川鉄道グループの経営から1934(昭和９) 年３月30日と翌年にかけて退任した。その後は倉田・立元のコンビに代わり、地元役員と宮内省からの派遣者が経営の主体となった。

三信鉄道がらみの一件は豊川鉄道グループの屋台骨を揺るがすことになった。その結果、愛電が名岐鉄道と合併して成立した名古屋鉄道が1938(昭和13) 年12月豊川鉄道に、1939(昭和14) 年には田口鉄道に、そして1940(昭和15) 年１月には鳳来寺鉄道にそれぞれ資本参加して、３社は名鉄の傍系会社となった。そのため３社の社長には名古屋鉄道の社長・藍川清成が就任した。しかしその体制は1943(昭和18) 年の豊川・鳳来寺鉄道の国有化により永続きしなかった。

国有化騒動のさなかの1942(昭和17) 年、鉄道省から道床厚の増加を命じられ砂利生産事業を始めたこともあって、1943(昭和18) 年12月に鉄道省へ貨車３両の払い下げを申請した。これは翌年４月10日に認可され、鉄道省松任工場で整備後、ト102(旧番号ト488)・ト101(旧番号ト499)・103(旧番号312) の３両の払い下げを受けた。戦後の1946(昭和21) 年に６両を増備(途中でワ81、１両減)、さらに1948(昭和23)

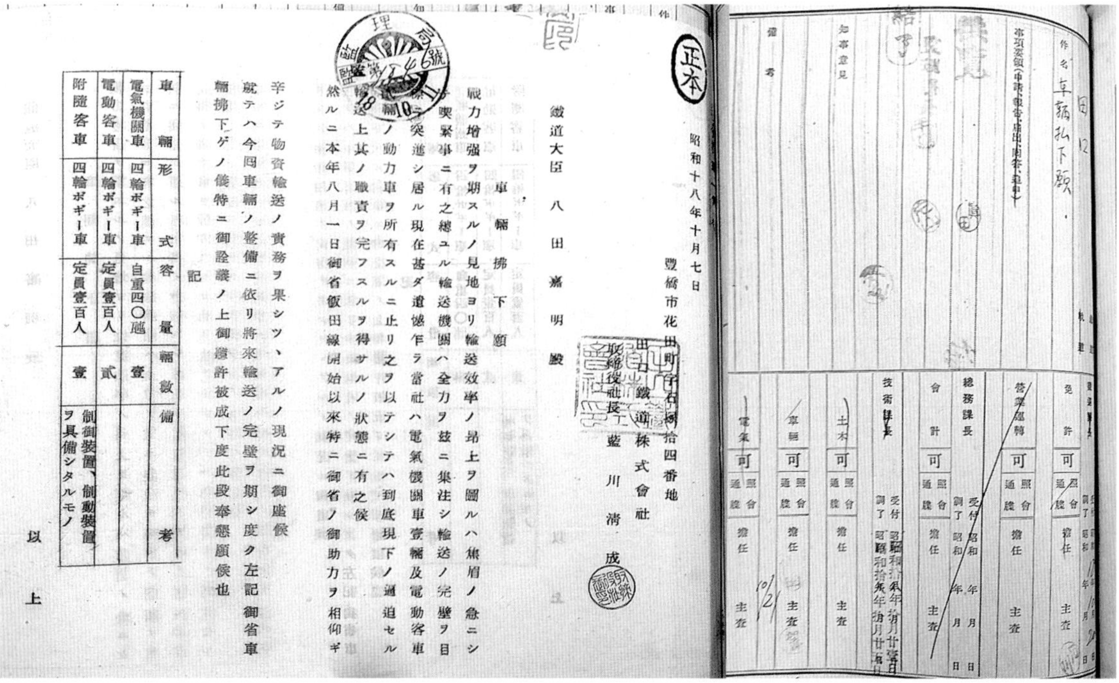

昭和十八年十月七日

豊橋市花田町字石塚拾四番地

田口鐵道株式會社

取締役社長　藍川清成

鐵道大臣　八田嘉明　殿

車輛拂下願

戰力増強ヲ期スルノ見地ヨリ輸送效率ノ昂上ヲ圖ルハ焦眉ノ急ニシテ喫緊事ニ有之總ユル輸送機關ハ全力ヲ茲ニ集注シ輸送ノ完璧ヲ目標ニ突進シ居ル現在甚ダ遺憾乍ラ當社ハ電氣機關車壹輛及電動客車貳輛ノ動力車ヲ所有スルニ止リ之ヲ以テシテハ到底現下ノ逼迫セル輸送上其ノ職責ヲ完フスルヲ得サルノ狀態ニ有之候

然ルニ本年八月一日御省飯田線開始以來特ニ御省ノ御助力ヲ相仰ギ辛ジテ物資輸送ノ責務ヲ果シツ丶アルノ現況ニ御座候

就テハ今回車輛ノ整備ニ依リ將來輸送ノ完璧ヲ期シ度ク左記御省車輛拂下ゲノ儀特ニ御詮議ノ上御聽許被成下度此段奉懇願候也

記

車輛	形式	容量	輛數	備考
電氣機關車	四輪ボギー車	自重四〇瓲	壹	
電動客車	四輪ボギー車	定員壹百人	貳	
附隨客車	四輪ボギー車	定員壹百人	壹	制御装置、制動装置ヲ具備シタルモノ

以上

車輌払下願　昭和18年10月７日付

出典：鉄道省文書 田口鉄道　所蔵：国立公文書館

中部天竜行の飯田線列車に
２両併結された田口線モハ
30形37号ほか。
1963.3
所蔵：NRA(P：神谷静治)

年4月9日付では新製認可申請書として提出したが、現実には同５月、国鉄貨車10両の払い下げを受け総勢15両の体制となった。

この間、終戦を挟んで経営体制には大きな変化があり、親会社たる豊川鉄道・鳳来寺鉄道が1943(昭和18) 年８月１日に戦時国策で三信鉄道・伊那電気鉄道とともに国有化され、飯田線(豊橋～辰野間) となった。この４社はすべて民間資本で建設された鉄道であったため運賃が高額で、伊那電沿線を中心に戦前から買収運動が盛んであり、1941(昭和16) 年の富士身延鉄道買収時にも買収が検討されていた。そして1943(昭和18) 年８月に「幹線鉄道網の整備上緊要なる路線」として４社まとめて買収されたのである。

国有化で営業路線を失った会社としての豊川鉄道と鳳来寺鉄道は、会社事務整理の都合上1943年11月13日に名古屋鉄道と合併し、盲腸線のため国有化の対象から外れた田口鉄道も名鉄の子会社となり社長が派遣された。しかし、予備車も予備の変電所も持たず、車両保守も委託という体制は国鉄になってからも継承された。

1943(昭和18) 年７月29日には国鉄と旅客列車の相互直通運転並びに所属車両の相互使用契約を結び、国有化当日の８月１日からは運転管理を国鉄に委託した。この結果、田口鉄道の線内運用は主に旧豊川鉄道のモハ10形が継続運用され、自社のモハ30形は豊橋機関区中部天竜支区に配属されて飯田線で運用された。

国有化から除外された田口鉄道も、太平洋戦争の拡大で業績は上向いたが、敗戦後の大改革で、最大のスポンサーであった宮内省が解体された。その持ち株は大蔵省から民間に払い下げられ、地元町村民が引き受けたため株主が143名も増加した。藍川社長も辞任し、以後は名鉄から役員が派遣された。

塩津川を渡る上り本長篠行
のモハ14号。
1965.3　三河田口—清崎
P：清水　武

元豊川鉄道のモハ10形を譲り受けた田口鉄道入線当初のモハ14。木造車だが外板に鉄板が貼り付けられた。
1955年頃　本長篠　所蔵：NRA(P：神谷静治)

(5) 田口線の経営主体変更から終末へ

戦後のインフレ下で運賃値上げが実施される一方で、1948(昭和23)年7月には自動車による一般運輸業、砕石の採取と販売業、木材の売買・加工事業を開始するため、資本金を300万円から600万円に増加し、さらに1951(昭和26)年8月には900万円と増資した。三河田口駅や清崎駅からのバス路線は戦時から休止していたが、1951年9月21日に廃止し、従前からの他社の乗り入れに任せた。

鉄道部門では、この頃には飯田線車両の国鉄仕様化が進んだことから国鉄車両での線内運用が出来なくなり、1952(昭和27)年には国鉄による運転管理が終了し自主運転を開始する。このため旧豊川鉄道の木造車モハ10形2両(14・15)を購入し対応した。

砕石事業は1952年、竹桑田採石場を開設。さらに1955(昭和30)には三河海老駅近くの原石山を取得し、砕石機も3台入れて月産1,200立方米を生産した。

1954(昭和29)年には名鉄須田副社長(後の社長)が田口鉄道社長に就任したが、1956(昭和31)年10月1日に田口鉄道は同じ名鉄傘下の豊橋鉄道と合併し、その田口線となった。役員も豊橋鉄道から派遣されるよ

デキの代わりに貨車を牽引するようになったモハ30形37号。連結器は自連に、前照灯はシールドビーム2灯に改められている。
1968.8　本長篠
所蔵：NRA(P：倉知満孝)

1965年9月17日の台風24号襲来による清崎～田口間の土砂崩壊・道床流失。　出典：鉄道省文書 田口鉄道　所蔵：国立公文書館

うになった。この時、豊橋鉄道田口線は旧豊川鉄道のモハ30形31（国鉄形式モハ1610）を購入し、モハ30形38として復活した豊橋直通のサービス拡充に努めた。

さらに豊鉄移管後は沿線の観光資源に着目し、茶臼山高原の開発やバンガロー村の建設など田口線旅客の誘致に努め、運賃改訂も実施し、収支改善に努めた。設備についても、玖老勢駅の新築、清崎駅の保安装置新設、1961（昭和36）年には三河海老変電所の改良、無蓋貨車への空気ブレーキ装置の取付などを実施した。

しかし高度経済成長期に入ると沿線住民の流出、マイカーの普及、森林資源の減少および森林鉄道の廃止と旅客・貨物の減少は続いた。しかし、旅客列車のダイヤは創業以来のほぼ１時間ヘッドを確保し、中断していた他社からの乗り入れも1950（昭和25）年１月から再開し、４月には名鉄からも臨時列車の乗り入れを受け入れた。しかし、貨物列車は1966（昭和41）年12月には廃止し、混合列車に変更した。

田口線の経営悪化に追い打ちをかけたのが自然災害の多発であった。鉄道統計の営業収支表には、開業早々の1929（昭和４）年には「水害復旧費」2,550円、1938（昭和13）年には「臨時水害費」13,908円が計上されるなど、田口線は戦前より自然災害が多発している。さらに1959（昭和34）年の伊勢湾台風では多大な被害を受け、５日間不通となった。この時、豊橋鉄道は多額の費用をかけ復旧したが、年々減少する旅客・貨物輸送量と施設の老朽化から収支改善の見込みが立たなくなった。

三河田口駅で静かに発車を待つモハ30形２両編成。
1965.3.9　三河田口　P：荻原二郎

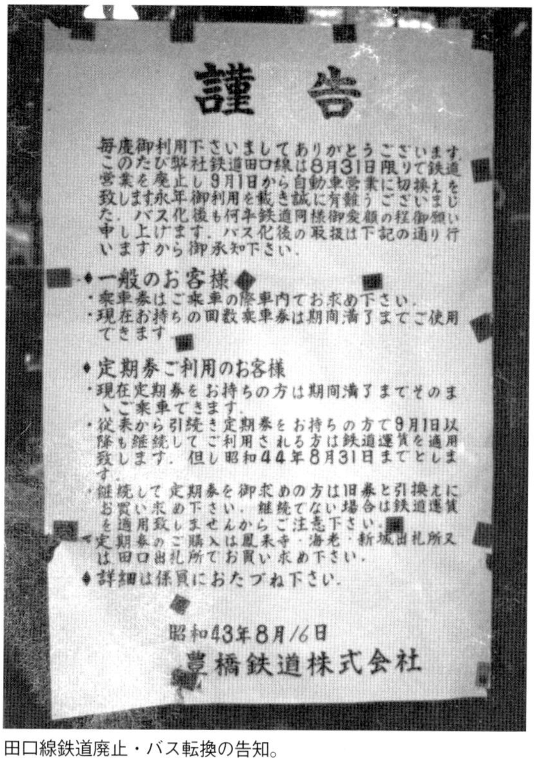

田口線鉄道廃止・バス転換の告知。
1968.8.31　三河海老　P：荻原二郎

廃線を控え車体に飾り付けがなされたモハ10形。木造車のモハ10形は廃止後の渥美線への転属は行われなかった。
1968.8　三河海老　所蔵：NRA（P：倉知満孝）

1963（昭和38）年には国鉄豊川分工場の廃止で車両の保守体制が変化したことから、豊橋鉄道車両による豊橋乗り入れは廃止された。翌1964年10月１日の役員会で田口線廃止方針を決定し、当時の鳳来町（現在は新城市に合併）と設楽町に文書で申し入れをした。

廃止問題は愛知県議会でも取り上げられ、地元からは反対陳情が出されるなど議論が続いた。豊橋鉄道側では詳細なバス代行計画を立て、地元に説明し、名古

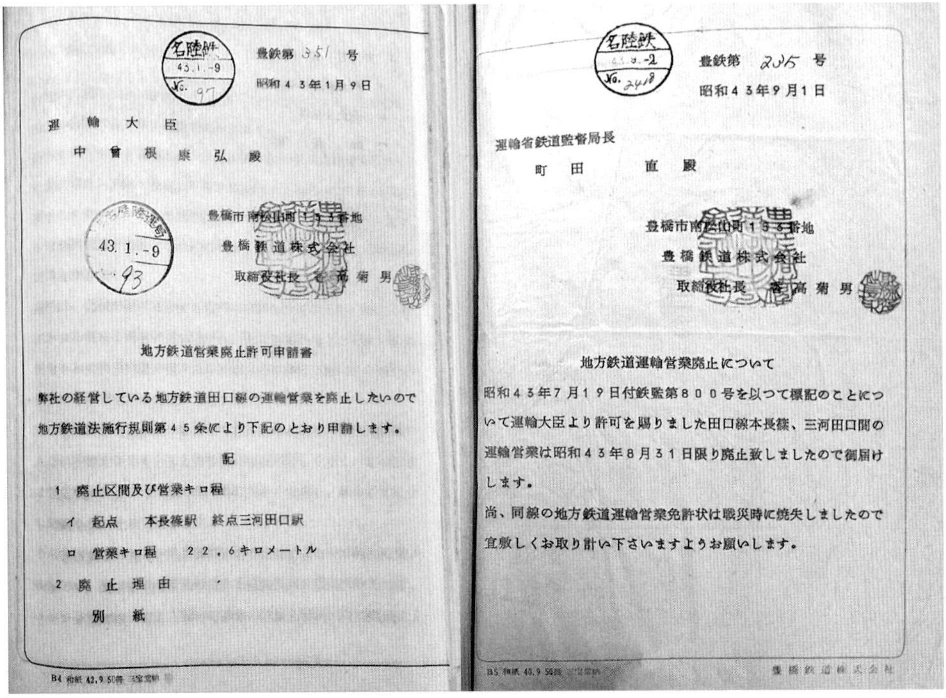
名陸鉄
43.1.-9
No. 97

豊鉄第 351 号
昭和４３年１月９日

運　輸　大　臣
中　曾　根　康　弘　殿

43. 1. -9
93

豊橋市南[illegible]町１３３番地
豊橋鉄道株式会社
取締役社長　[illegible]　菊　男

地方鉄道営業廃止許可申請書

弊社の経営している地方鉄道田口線の運輸営業を廃止したいので
地方鉄道法施行規則第４５条により下記のとおり申請します。

記

1　廃止区間及び営業キロ程
イ　起点　本長篠駅　終点三河田口駅
ロ　営業キロ程　２２．６キロメートル
2　廃　止　理　由
別　紙

名陸鉄
No. 2418

豊鉄第 235 号
昭和４３年９月１日

運輸省鉄道監督局長
町　田　　直　殿

豊橋市南[illegible]町１３３番地
豊橋鉄道株式会社
取締役社長　[illegible]　菊　男

地方鉄道運輸営業廃止について

昭和４３年７月１９日付鉄監第８００号を以つて標記のことについて運輸大臣より許可を賜りました田口線本長篠、三河田口間の運輸営業は昭和４３年８月３１日限り廃止致しましたので御届けします。
尚、同線の地方鉄道運輸営業免許状は戦災時に焼失しましたので宜敷しくお取り計い下さいますようお願いします。

豊橋鉄道株式会社

営業廃止許可申請書（左・昭和43年１月９日）と営業廃止届（右・昭和43年９月１日）。　出典：運輸省文書　所蔵：国立公文書館

車体の内外に飾り付けがなされた廃線間際のモハ10形の様子。ヘッドマークは中央の行先表示部分がくり抜かれている。
1968.8　所蔵：NRA（P：倉知満孝）

屋陸運局でも検討が重ねられた。当時の法体制には需給調整規則があり、路線廃止には地元の同意が必要で、廃止の実現には現在より、事業者にとっても監督官庁にとっても難題だった。

廃止の動きを加速させたのは1965（昭和40）年９月の台風24号の被害であった。清崎～三河田口間で大きな被害を蒙り不通となり、翌日からバス代行を開始した。この区間の復旧には田口線の年間赤字額に匹敵する3,000万円が見込まれたため、もはや廃止やむなきの状態であったが、豊橋鉄道は地元との廃線交渉を刺激することを避けるため、あえて運転休止を続けた。さらに1966（昭和41）年９月には台風26号、10月には集中豪雨と被害が相次ぎ、落石も多発するなど安全運行にも懸念が生じ始めていた。

最終的には稲目トンネルのバス専用道化（バス化時は単線交互通行、後に複線化改良）を条件に、地元はバス転換に同意したことでこの問題に決着が付き、1968（昭和43）年１月９日に全線の営業廃止許可申請が提出された。７月19日に廃止が許可され８月31日廃止実施が決定した。そして廃止準備のさなか８月29日の台風10号によって田峰～清崎間で線路崩壊が発生し、最終営業日の田口線列車は奇しくも最初の開業区間である本長篠～三河海老間のみの運転で終わることになった。

田口線の営業最終日、三河海老駅で並んだモハ37とモハ15。モハ15は清崎行の表示を掲げているが、水害による不通のため三河海老止まりであった。
1968.8.31　三河海老　P：荻原二郎

有蓋車を牽引し、三河田口に向けて寒狭川沿いを走るデキ53。
1965.2.7　清崎—三河田口
P：清水　武

(6) 森林鉄道と田口線

田口鉄道の起点駅となった本長篠駅(1943年８月１日の国有化時に「鳳来寺口」より改称)は、最近ブームとなった秘境駅が連続するJR飯田線の豊橋側の入口である。飯田線は豊橋から愛知・静岡県境を豊川・天竜川沿いに走り長野県に至る全長約200kmの路線で、全区間が私鉄(民鉄)による建設であることでも知られる。田口線が主に立地した愛知県北設楽郡は、工業県・愛知のイメージにはそぐわない山間地で、段戸御料林などが広がった「奥三河」と呼ばれる地域である。

当時の宮内省は、帝室林野局の木材搬出手段としての田口鉄道の運営に関わってきたが、終戦により宮内省自体が改編され、山林は国有化され農林省の所管となり、田口鉄道の株式は大蔵省の所有となって、間もなく持ち株を放出した。山林は農林省管轄の林野局名古屋営林局新城営林署の管轄となった。

宮内省が一般鉄道に関与した例としては、当地方では岐阜・長野両県境に跨る中央本線坂下駅からの坂川鉄道(762mm軌間)がある。こちらはもともと坂下森林軌道・田立森林軌道として宮内省が計画したが、宮内省としては運材促進の観点から、また地元の要望があり、それに応え普通鉄道として免許を取得し、費用も半分以上を宮内省の負担で開業した。しかし、新坂下～奥屋間の普通免許区間は営業不振で早くも1944(昭和19)年に廃止。あとは宮内省、林野庁直営の森林鉄道として運営したが1956(昭和31)年には廃止された。田口鉄道も経緯は異なるが、宮内省が設立時から普通鉄道の運営に関与した事例である。

中部地方で宮内省が普通鉄道に関与した例は大井川鉄道にも見られるが、こちらは産出木材の運搬手段(川狩り)がダム建設により奪われるという、被害者的立場からの関与だったと思われ、やがて電力会社が運営の主体となる。

本長篠駅～旧三河大草駅間の県道沿いに現在でも残る大井川橋梁の橋脚跡。
1995年　P：鈴木雅晴

田口線終点の三河田口駅からも、1961年度に廃止されるまで段戸国有林椹尾方面への森林鉄道が敷設されていた。
1965.3.9　三河田口　P：荻原二郎

(7) 森林鉄道の建設

田口鉄道の沿線の森林鉄道はほとんどが帝室林野局の木材搬出手段として建設されたものであり、宮内省の管轄下にあった。田口鉄道の沿線では、田峰駅と三河田口駅からの森林鉄道は帝室林野局が建設し運営にあたったが、終戦後の1947(昭和22)年に農林省外局林野庁の所管となり、田口線沿線は名古屋営林局新城営林署の所管になった。いずれも田口鉄道が開業してからの建設であり、田口線にとっては培養線である。

しかし、木材資源の枯渇により、1965(昭和40)年の水害よりさらに前、1961(昭和36)年までに廃止された。現在も一部のトンネルの遺構など、その痕跡をたどることができるという。

路線の概要は次の通りである。

(1)田峯森林鉄道 鰻澤線
田峰駅～段戸国有林鰻澤：18.8km
平均勾配：25‰　最急勾配：55‰
最小曲線半径9.0m
開通：1931(昭和６)年度
廃止：1958(昭和33)年度

(2)田峯森林鉄道 栃洞線　鰻澤線
細野～栃洞：6,195km
平均勾配：44‰　最急勾配：66‰
最小曲線半径9.0m
開通：1932(昭和７)年度
1951(昭和26)年度1,025m延長
廃止：1959(昭和34)年度

(3)田口森林鉄道 椹尾線
三河田口駅～段戸国有林椹尾：5,851m
平均勾配：32.6‰　最急勾配：58‰
最小曲線半径：10.0m
開通：1934(昭和９)年度
廃止：1961(昭和36)年度

(4)田口森林鉄道 本谷線
椹尾線落合橋分岐点～田峰段戸山国有林本谷
：9,462m
平均勾配：42.3‰　最急勾配：65‰
最小曲線半径：10.0m
開通：1940(昭和15)年度
廃止：1960(昭和35)年度

モハ37を機関車代わりにして無蓋貨車を牽引し、本長篠方面へと向かう。
1968.8.31　三河海老　P：荻原二郎

起点の本長篠駅で飯田線電車と並ぶ田口線。左の３番線が田口線、中央の２番線が飯田線下り線、右の１番線が飯田線上り線。
1965.2.7　本長篠
P：清水　武

(8) 田口線の施設

田口鉄道の営業区間は鳳来寺口(本長篠) ～三河田口間22.6kmで、沿革でも述べたが三河海老まで11.57kmが1929(昭和４) 年5月22日、三河海老～清崎間6.53kmが1930(昭和５) 年12月10日、清崎～三河田口間4.63kmが1932(昭和７) 年12月22日に開通している。以上を合算すると22.73kmになるが、1942年度に端数が切り捨てられ22.6kmとされている。

軌道重量は30kgで全線単線、最小曲線半径は160mで最急勾配は30.3‰である。橋梁は17ヶ所、溝橋29ヶ所が存在する。構造はいずれもガーダーで、桁数４連を超える大橋梁も４本存在し、最長のものは清崎～三河田口間の第四寒狭川橋梁(104.06m)であった。

トンネルは24ヶ所存在し、総延長は4,107mに及ぶため、全線の約５分の１はトンネルということになる。そのなかでも特筆すべきは滝上～田峰間の稲目隧道で、総延長1,510.59mは営業期間を通じて愛知県内の鉄道用山岳トンネルとしては当時東海道本線の「星越トンネル」を凌ぎ最長を誇った。後年廃止に際し、代行バスの走行上支障が多いとされ、拡幅整備することで決着が付き、現在も県道の一部として活用されている。保安方式は通票閉塞、すなわちタブレット方式である。

架線電圧はDC1,500Vで、変電所は三河海老に置かれた。なお、開業当初は変電所の竣工が遅れて鳳来寺鉄道から給電を受けたことは沿革で述べた通りだが、その後も同社とは非常時の給電契約を結んでおり、鳳来寺鉄道の国鉄買収以前は必要に応じて電力の相互融通が行われていた。豊橋鉄道となってから海老変電所の水銀整流器を更新したが、饋電方式は全線シンプルカテナリー式であるものの、吊架線を吊る横ビームは片持ち区間と一部駅構内の門柱区間に限られ、三河田口駅の構内などでは門柱でもビームはなく吊架線から

■田口線の概要(駅と線路)

標準勾配		区間粁程	駅名	種別	タブレット種別	橋梁	トンネル
上り	下り	km					
			本長篠				
25		2.6			4	1	1
			三河大草	停留場			
25		2.2				1	7
			鳳来寺				
	25	2.7			1	2	2
			玖老勢				
16		1.6			2	1	0
			三河大石	停留場			
23		2.5				2	2
			三河海老	車庫・変電所			
25		1.2			3	0	0
			滝　上	停留場			
25		2.6				2	3
			田　峰				
25		1.6			4	3	2
			長原前	停留場			
6.4		1.1				1	1
			清　崎				
25		4.5			2	4	6
			三河田口				

■田口鉄道主要トンネル一覧　　提供：藤井　建

名　称	延長(m)	区　間
稲　目	1510.59	滝上～田峰
麹　坂	441.35	鳳来寺～玖老勢
万　寿	339.52	三河大草～鳳来寺
第一清崎	332.54	田峰～長原前
第三清崎	190.80	長原前～清崎
田　内	147.22	清崎～三河田口
大久賀第一	122.53	
第二清崎	118.26	田峰～長原前
大久賀第二	108.51	清崎～三河田口

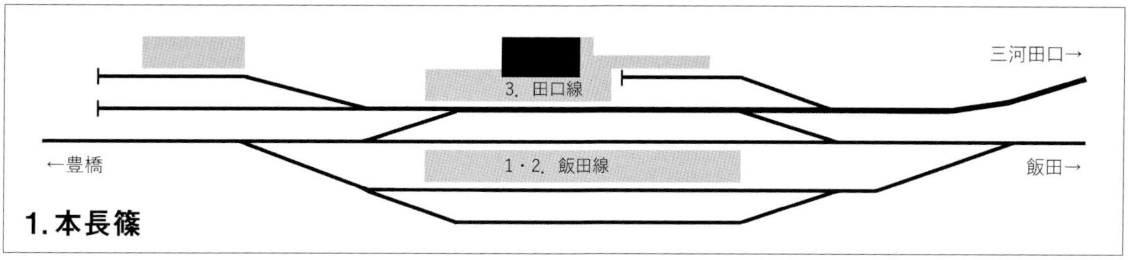

直接支持(スパンワイヤー式)としており、郊外鉄道らしからぬ設備もあった。戦後国鉄の80系電車が乗り入れ試験を実施したが、電圧降下が露呈し中止された。

駅は起点の本長篠を除いて停車場6駅、停留所4駅が存在した。停車場はすべて開通時の開設だが、全線6閉塞であり、実施されたダイヤに比べると過剰で、ダイヤ編成上は余裕があるが、電力状況からすればこの設備は活かせなかった。しかし臨時列車運転時の基本ダイヤには影響がなかったと思われる。

停留所4ヶ所のうち開業時から設置されたのは三河大石のみである。三河大草は駅間距離を是正し周辺集落の便を図るため1930(昭和5)年1月28日認可により、滝上は豊根村方面との連絡のため1949(昭和24)年8月3日認可により、長原前は田口町立清嶺中学校新設に伴い同年8月22日の認可でそれぞれ追加されたものだが、長原前については正式開業日とされる1950(昭和25)年10月1日を開設日とする資料も多い。

他の資料ではこのほかに鳳来寺〜玖老勢間に名称不明の臨時停留所、清崎〜三河田口間に鮎釣り客用に季節限定の鮎渕臨時停留所、大久賀多貨物停車場が存在したとする。しかし、この箇所は駅として統計に計上されず、開設認可も明確でない。大久賀多については1952(昭和27)年2月1日認可で起点から20.84km地点に木材搬出用の仮側線を設置した記録があるので、この側線の通称であろう。

各駅の旅客・貨物の取扱い実績は、起点の本長篠を除けば乗降客が最も多い駅は鳳来寺であった。次いで三河田口、三河海老と続く。発着貨物が10,000tを超えるのは統計で確認できる限り、森林鉄道が接続する田峰、三河田口の2駅のみである。田峰からの発送が10,000tを超えるのは統計で確認できる限り数回、三河田口からの木材搬出が本格化するのは1937(昭和12)年以降だが、1953(昭和28)年に10,000tを割ると以後は急減しており、田口線(田口鉄道)での木材輸送は1950年代の時点で本来の役割を終えつつあったことになる。

飯田線と接続する本長篠駅構内。右の貨物側線とその左の旅客ホームが田口線の構内となる。飯田線下りホームには流電ことクモハ52形が入線している。　1965.3.9　本長篠　P：荻原二郎

■田口鉄道主要橋梁一覧　　提供：藤井　建

名　称	純径間(m)	構　造	区　間
第四寒狭川	104.06	上路鋼板桁5連	清崎〜三河田口
第二寒狭川	82.7	〃	田峰〜長原前
第三寒狭川	79.1	〃	清崎〜三河田口
第一寒狭川	64.96	上路鋼板桁4連	滝上〜田峰
大井川	32.4	上路鋼板桁2連	本長篠〜三河大草
塩津川	28.48	〃	清崎〜三河田口
海老川	26.17	〃	三河大石〜三河海老
傘　川	22.83	〃	三河大石〜鳳来寺

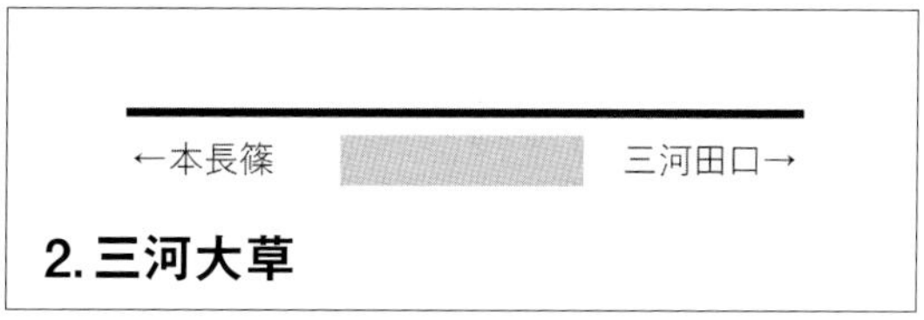

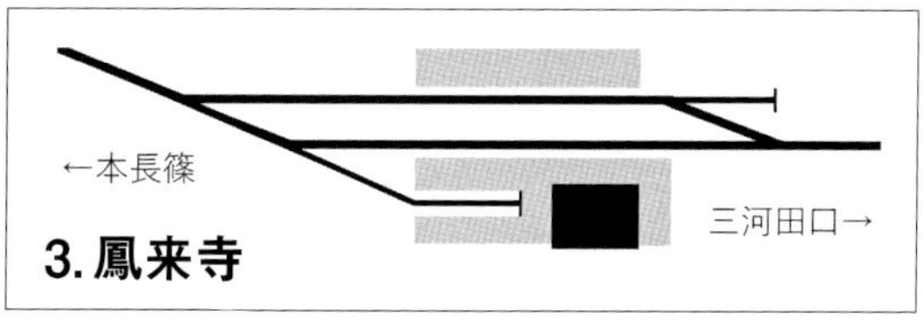

鳳来寺参詣の玄関口となる木造二階建ての鳳来寺駅舎。清崎行37号が発車を待つ。
1968.8.3　鳳来寺　P：和久田康雄

2
ほうらいじ
HORAIJI
くろせ

玖老勢駅。モハ30形38号が停車する先の三河田口方に貨物側線がある。　1965.3.9　玖老勢　P：荻原二郎

三河大石駅。駅名標を田口線車内より見る。　1965.3.9　三河大石　P：荻原二郎

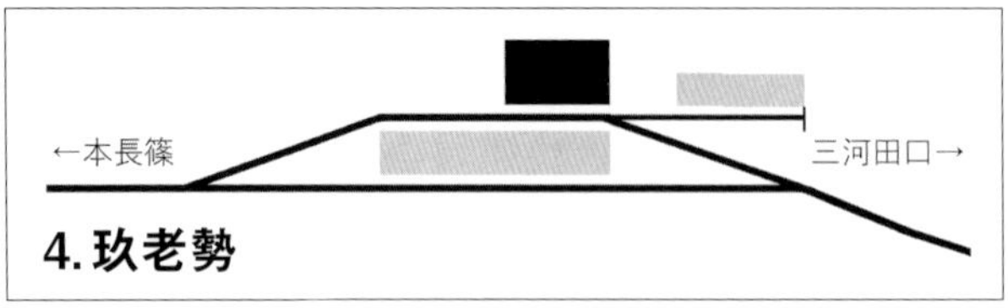

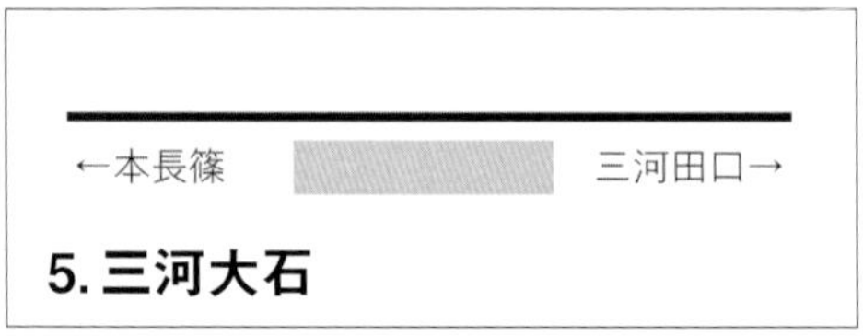

車庫のある三河海老駅は、小規模な駅構内ながら複雑な線路配線を持つ。　1965.5　三河海老　所蔵：NRA（P：倉知満孝）

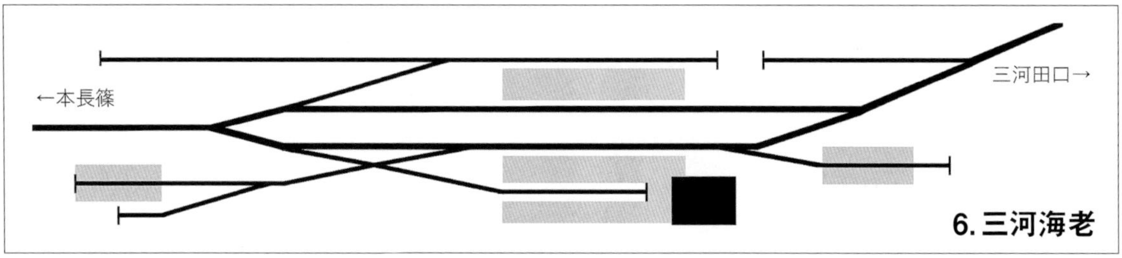

三河海老駅。車庫や変電所が設けられるなど田口線の運行拠点の駅で、駅頭に売店が設置されている。
1968.8.31　三河海老　P：荻原二郎

7. 滝上

田峰駅。旅客ホームに並行して貨物ホームが併設されていた。
1965.3　田峰　P：清水　武

田峰駅の駅名標。　1965.3.9　田峰　P：荻原二郎

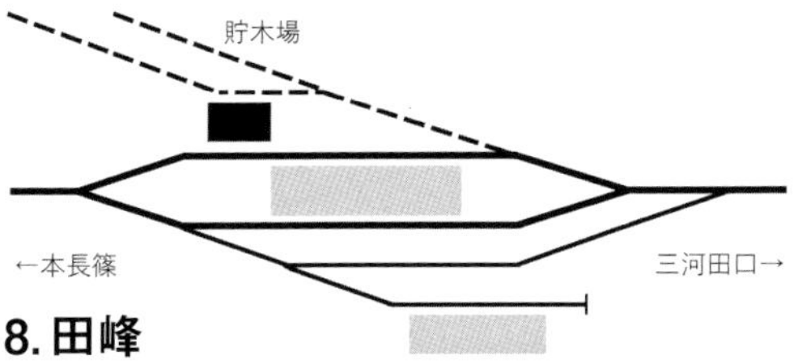

8. 田峰

9. 長原前

清崎駅。寄棟屋根の木造駅舎が設置されていた。
1966.3　清崎　P：清水　武

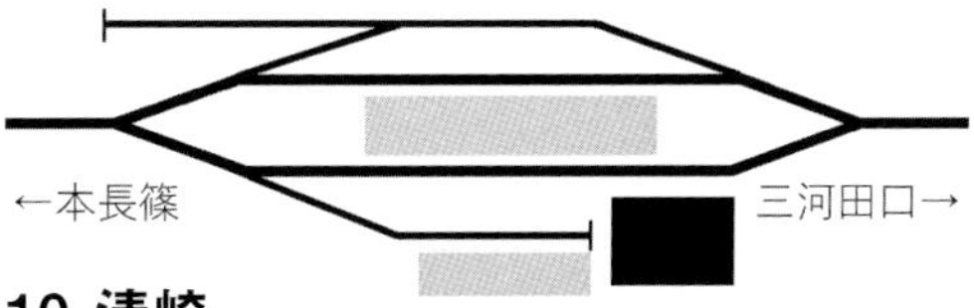

10. 清崎

三河田口駅で発車を待つ本長篠行モハ10形14号。　P：清水　武

三河田口駅。廃線後も2011年夏の大雨により倒壊するまで、駅舎の遺構を残していた。　1965.3　三河田口　P：清水　武

右側に貨物列車が停車する三河田口駅構内。この付近は設楽ダムの建設に伴い、今後水没することが予定されている。
1965.5　三河田口　所蔵：NRA（P：倉知満孝）

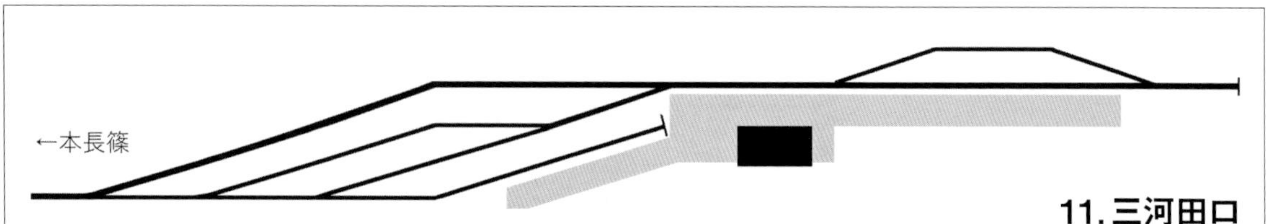

11. 三河田口

飯田線の水窪行２連に併結して三河田口へ向かう田口線モハ37。流電クモハ52形への併結も存在していた。
1958年　豊橋—船町　所蔵：NRA(P：神谷静治)

(9) 田口線と豊橋乗り入れ

田口鉄道は既述のように当初から豊川鉄道・鳳来寺鉄道との乗入れを前提としており、開業時に準備した車両は電動車モハ101・102の半鋼製車２両と電気機関車デキ53の１両の計３両だけである。貨車は準備しなかった。また上記２鉄道との乗り入れと、車両のプール運用は節約のためとは言え、予備車も準備しなかった。この点については後述するが画期的な策だった。貨物輸送もそれを目的としながら貨車を保有せず、専ら迎車に頼った。三河海老までの部分開業時のものと思われる時刻表(藤井氏提供)では田口線列車はすべて(？)が吉田(現・豊橋)まで直通しており、豊川鉄道にとっても、田口線沿線は培養線と期待していたことが解る。

しかしこの案では吉田〜鳳来寺口間では田口鉄道直通を含め40分ヘッドとなり、輸送力過剰と思われたのか、その後1932(昭和７)年12月の全通時の時刻表(30頁復元ダイヤ参照)では10往復中８往復が直通となっており、田口鉄道車両が常時２本出庫すればかなりバランスが取れるが、そうなれば田口車両は日常検査もできず予備車もない。このため田口鉄道は乗務員

■田口鉄道時刻表　1929（昭和４）年　※鳳来寺口〜三河海老間開通時

	キロ数	駅名		3	7	11	15	19	23	27	31	35	39
豊川鉄道・鳳来寺鉄道	0.0	吉　田	発	650	810	930	1050	1210	1330	1450	1610	1730	1850
	32.1	鳳来寺口	着	745	905	1025	1145	1305	1425	1545	1705	1825	1945
田口鉄道	0.0	鳳来寺口	発	746	906	1026	1146	1306	1426	1546	1706	1826	1946
	4.8	鳳来寺	発	754	914	1034	1154	1314	1434	1554	1714	1834	1954
	11.6	三河海老	発	807	927	1047	1207	1327	1447	1607	1727	1847	2007

	キロ数	駅名		6	10	14	18	22	26	30	34	38	42
田口鉄道	0.0	三河海老	発	659	819	939	1059	1219	1339	1459	1619	1739	1859
	6.8	鳳来寺	発	712	832	952	1112	1232	1352	1512	1632	1752	1912
	11.6	鳳来寺口	着	720	840	1000	1120	1240	1400	1520	1640	1800	1920
豊川鉄道・鳳来寺鉄道	0.0	鳳来寺口	発	722	842	1002	1122	1242	1402	1522	1642	1802	1922
	32.1	吉　田	着	816	936	1057	1216	1336	1457	1616	1736	1857	2016

※豊川／鳳来寺鉄道区間のみの列車は除く。
※田口鉄道全列車10往復がすべて直通運転である。疑問もあるが、完全パターン化された見事なダイヤである。

■田口鉄道運行図表

吉田～長篠間：豊川鉄道　長篠～三河川合間：鳳来寺鉄道　鳳来寺口～三河田口間：田口鉄道（昭和７年12月13日訂補）

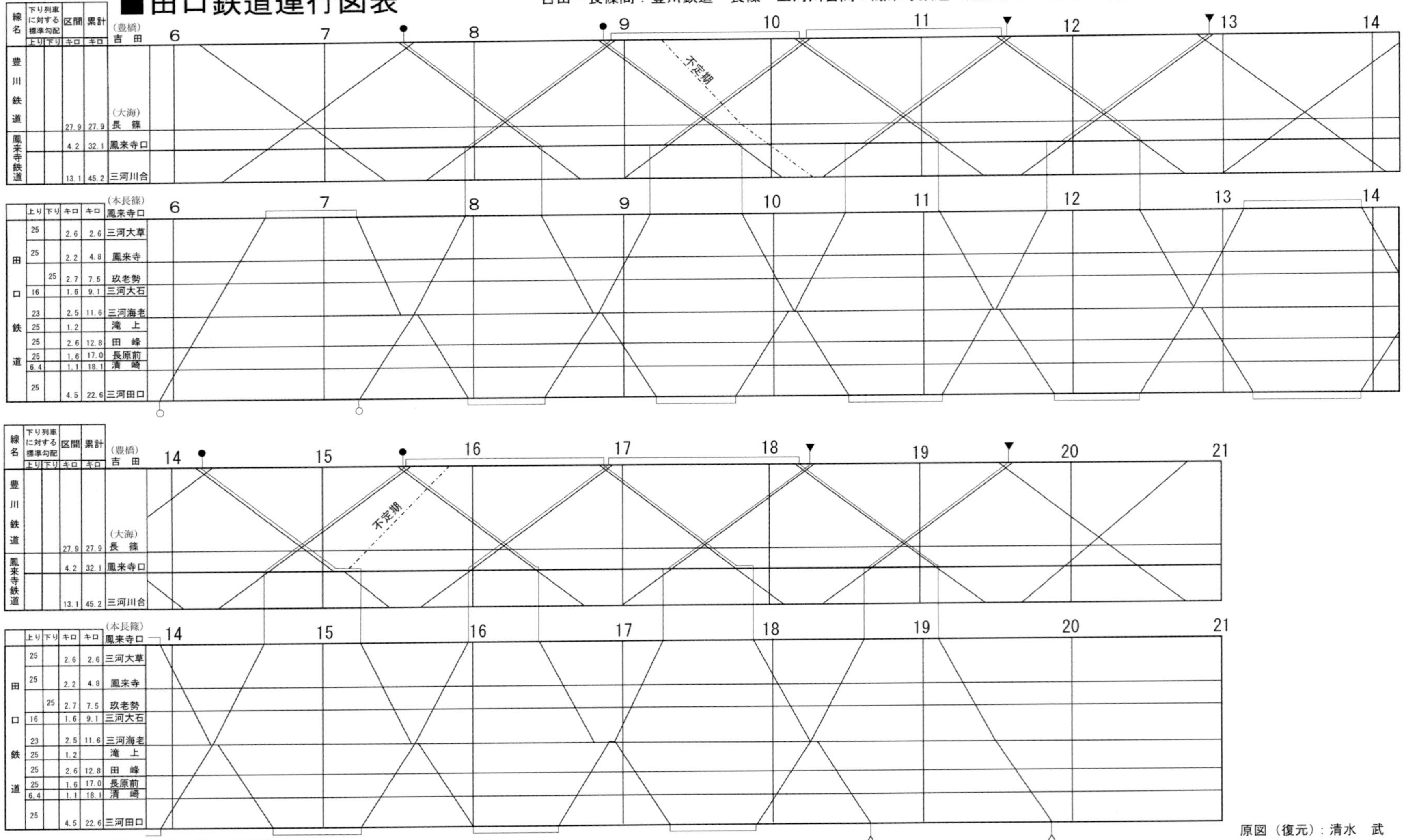

○△：田口車での運用
●▲：豊川車での運用
推定

原図（復元）：清水　武

出典：『汽車汽船ポケット旅行案内』昭和８年７月号

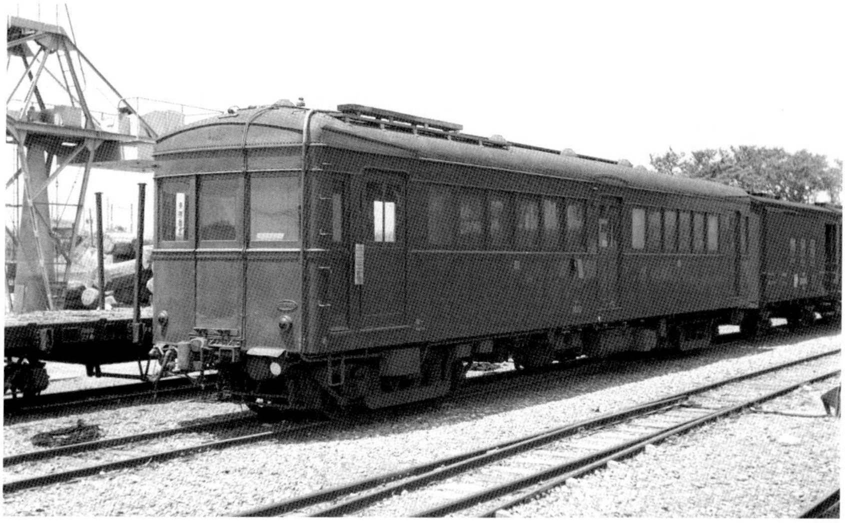

福塩線で廃車された国鉄モハ1610(元豊川鉄道モハ31号）が田口鉄道に譲渡され、モハ30形の増備車38号となった。
1953年
所蔵：NRA(P：神谷静治)

は自社で担当したが車両運用、管理は豊川鉄道などに一任したものであろう、鳳来寺口～吉田間は併結運転とした。このダイヤを実際に運用させた倉田社長は事実上の豊川鉄道在籍とはいえ、大した才覚だった。

この後の直通運転はどの程度の本数が豊橋直通かは不明だが、国有化後の1943(昭和18）年８月21日の線内ダイヤでは９往復、終戦直後の1945(昭和20）年９月18日では13往復と本長篠→鳳来寺間および田峰→本長篠間の区間運転１本ずつに復活した。直通運転は国鉄飯田線となった後も続き、ダイヤ自体もあまり変化はなったと思われる。

しかし相変わらず本長篠～三河田口間のダイヤは２両では賄えない。一方、国鉄は飯田線車両の国鉄仕様化を進めたため、1951(昭和26）年には豊橋直通は困難となり、1952(昭和27）年５月には国鉄による運転管理とともに豊橋直通は終了した。

このため田口鉄道はやむなく、廃車された旧豊川鉄道のモハ10形２両を譲り受け、モハ30形と４両で田

■田口鉄道時刻表　1933（昭和８）年７月　※鳳来寺口～三河田口間全通時

	キロ数	駅名											
豊川鉄道・	0.0	吉　田	発	610	730	850	1010	1130	1250	1410	1530	1650	1810
鳳来寺鉄道	32.1	鳳来寺口	着	705	825	945	1105	1225	1345	1505	1625	1745	1905
	0.0	鳳来寺口	発	713	827	947	1107	1227	1355	1515	1627	1753	1907
	4.8	鳳来寺	発	721	835	955	1115	1235	1403	1523	1635	1801	1915
	7.5	玖老勢	発	727	841	1001	1121	1241	1409	1529	1641	1807	1921
田口鉄道	11.6	三河海老	発	737	851	1008	1131	1251	1418	1538	1658	1818	1930
	15.4	田　峰	発	745	859	1016	1139	1259	1426	1546	1706	1826	1938
	18.1	清　崎	発	750	905	1022	1145	1304	1432	1552	1712	1832	1944
	22.6	三河田口	着	758	913	1030	1153	1312	1440	1600	1720	1840	1952

キロ数	キロ数	駅名											
	0.0	三河田口	発	555	714	828	944	1108	1227	1355	1515	1635	1755
	4.5	清　崎	発	604	723	837	953	1117	1236	1404	1524	1644	1804
	7.2	田　峰	発	609	728	842	958	1122	1241	1409	1529	1649	1809
田口鉄道	11.0	三河海老	発	617	736	850	1009	1130	1249	1417	1537	1657	1817
	15.1	玖老勢	発	624	743	857	1016	1137	1256	1424	1544	1704	1824
	17.8	鳳来寺	発	630	749	903	1022	1143	1302	1430	1550	1710	1830
	22.6	鳳来寺口	着	637	756	910	1029	1150	1309	1437	1557	1717	1837
豊川鉄道・	0.0	鳳来寺口	発	640	800	920	1040	1200	1320	1440	1600	1720	1840
鳳来寺鉄道	32.1	吉　田	着	736	856	1016	1136	1256	1416	1536	1656	1816	1936

※豊川／鳳来寺鉄道区間のみの列車は除く。
出典：『汽車・汽船ポケット旅行案内』（1933年７月、東京旅行社）　提供：藤井　建

口線の自主運行を始めた。しかし1952(昭和27) 年12月にはモハ30形(36・37) を豊川分工場で制御器の改造、密着連結器の装備、乗務員室扉の増設など国鉄仕様に改良し、翌1953年には本長篠～豊橋間は併結運転とする形で豊橋直通運転が復活した。

豊橋鉄道田口線として発足するに際し、豊橋鉄道は国鉄モハ1610号(旧豊川鉄道31) を購入することでモハ38号車を増備し、旅客流動の多い豊橋直通の充実を図った。しかし、1960年代の交通公社時刻表には豊橋鉄道田口線の欄にも、飯田線の欄にも直通運転の表示は見られない。だが1962(昭和37) 年６月号の本長篠駅での接続時分を見るとどのスジが直通しても不思議ではない。当時の豊鉄車両併結の飯田線列車の写真を見ると、列車の前・後の行先板には本来の飯田線列車としての行先(中部天竜など)を表示しているが、田口線直通の車両は側面板(サボ)に「三河田口行」と表示されていた。廃止前には直通運転は２往復まで減じていたという。1938(昭和13) 年ダイヤのような全列車直通の再現はならなかった。直通運転は1963(昭和38) 年３月24日には廃止された。ただ、藤井氏提供の昭和40年頃の時刻表では一部の列車を除き直通列車として示されており、本長篠での接続は完璧である。

予備車も持たないという特異な運営状況は現在でも一考の余地がある方法ではないか。営業距離が短く、保有車両も少ない第三セクターなどの民鉄が自前の予備車両や工場など検修設備まで所有する必要があるのだろうか。現在では東海交通事業城北線で似た形が見られる。かつて、イギリス国鉄の民営化答申では、小鉄道の車両保守はBR(旧国鉄) が責任を持つよう提言していたのを思い出す。

■豊橋鉄道・鳳来寺鉄道・三信鉄道南線・田口鉄道時刻表　1934（昭和９）年12月１日改正

	キロ数	駅名		1	3	5	9	13	17	21	25	27	29	31	33	37	41	(現駅名)
豊川鉄道	0.0	吉　田	発	610	650	730	850	1010	1130	1250	1410	1450	1530	1610	1650	1810	1930	豊　橋
	8.7	豊　川	発	626	705	745	905	1025	1145	1305	1425	1505	1545	1625	1705	1825	1945	豊　川
	21.6	新　城	発	642	725	807	927	1047	1207	1327	1447	1525	1607	1645	1727	1847	2007	新　城
	28.0	長　篠	発	701	738	821	941	1101	1221	1341	1501	1538	1621	1658	1741	1901	2021	大　海
鳳来寺鉄道	32.2	鳳来寺口	発	710	…	830	950	1110	1230	1350	1510	…	1630	…	1750	1910	2030	本長篠
	38.2	湯　谷	発	720	…	840	1000	1120	1240	1400	1520	…	1640	…	1800	1920	2040	湯谷温泉
三信鉄道南線	45.2	三河川合	発	734	…	854	1014	1134	1254	1413	1534	…	1654	…	1814	1934	2052	三河川合
	51.3	三信三輪	発	746	…	906	1026	1146	1306	1426	1546	…	1706	…	1826	1946	…	東　栄
	62.4	中部天竜	着	808	…	928	1048	1208	1328	1448	1608	…	1728	…	1848	2008	…	中部天竜
田口鉄道	キロ数	駅名		301	…	305	309	313	317	321	325	…	329	…	333	337	…	—
	0.0	鳳来寺口	発	711	…	832	952	1112	1232	1352	1512	…	1632	…	1752	1912	…	—
	4.8	鳳来寺	発	719	…	840	1000	1120	1240	1400	1520	…	1640	…	1800	1920	…	—
	7.5	玖老勢	発	725	…	846	1006	1126	1246	1406	1526	…	1646	…	1806	1926	…	—
	11.6	三河海老	発	733	…	853	1014	1133	1253	1413	1533	…	1654	…	1813	1933	…	—
	15.4	田　峰	発	741	…	901	1021	1141	1301	1421	1541	…	1701	…	1821	1941	…	—
	18.1	清　崎	発	747	…	907	1027	1147	1307	1427	1547	…	1707	…	1827	1947	…	—
	22.6	三河田口	着	755	…	915	1035	1155	1315	1435	1555	…	1715	…	1835	1955	…	—

	キロ数	駅名		304	…	308	312	316	320	324	328	…	332	…	336	340	…	—
田口鉄道	0.0	三河田口	発	551	…	711	831	950	1110	1230	1351	…	1510	…	1630	1751	…	—
	4.5	清　崎	発	559	…	719	839	958	1119	1239	1359	…	1519	…	1639	1759	…	—
	7.2	田　峰	発	605	…	725	845	1005	1125	1245	1405	…	1525	…	1645	1805	…	—
	11.0	三河海老	発	613	…	733	853	1013	1133	1253	1414	…	1533	…	1653	1814	…	—
	15.1	玖老勢	発	620	…	740	901	1021	1141	1301	1421	…	1541	…	1701	1821	…	—
	17.8	鳳来寺	発	626	…	746	906	1026	1146	1306	1427	…	1546	…	1706	1827	…	—
	22.6	鳳来寺口	着	633	…	753	914	1034	1154	1314	1434	…	1554	…	1714	1834	…	—
三信鉄道南線	キロ数	駅名		4	6	8	12	16	20	24	28	30	32	34	36	40	44	(現駅名)
	0.0	中部天竜	発	…	…	658	818	939	1058	1218	1338	…	1458	…	1618	1738	1858	中部天竜
	11.1	三信三輪	発	…	…	720	840	1001	1120	1240	1400	…	1520	…	1640	1800	1920	東　栄
鳳来寺鉄道	17.2	三河川合	発	613	…	733	853	1013	1133	1253	1413	…	1533	…	1653	1813	1933	三河川合
	24.2	湯　谷	発	625	…	745	905	1025	1145	1305	1425	…	1545	…	1705	1826	1945	湯谷温泉
	30.2	鳳来寺口	発	636	…	756	916	1036	1156	1316	1436	…	1556	…	1716	1836	1956	本長篠
豊川鉄道	34.4	長　篠	発	645	741	805	925	1045	1205	1325	1445	1541	1605	1701	1725	1845	2005	大　海
	40.8	新　城	発	700	751	820	940	1100	1220	1340	1500	1551	1620	1711	1740	1900	2020	新　城
	53.7	豊　川	発	722	813	842	1002	1122	1242	1402	1522	1613	1642	1732	1802	1922	2042	豊　川
	62.4	吉　田	着	736	827	856	1016	1136	1256	1416	1536	1627	1656	1746	1816	1936	2056	豊　橋

※豊川／鳳来寺／三信鉄道は1935（昭和10）年６月20日補訂。

※鳳来寺／三信鉄道の列車番号は豊川鉄道のもの。

※豊川鉄道の列車番号に欠番があるのは吉田～東新町間の区間列車があるため（記載省略）。

■田口鉄道時刻表　1938（昭和13）年７月１日改正

キロ数	駅名		301	303	305	307	309	311	313	315	317	319	不321
0.0	鳳来寺口	発	712	832	957	1112	1232	1357	1512	1632	1757	1912	2043
4.8	鳳来寺	発	720	841	1005	1120	1241	1405	1520	1641	1805	1920	2051
7.5	玖老勢	発	726	847	1011	1126	1247	1411	1526	1647	1811	1926	2057
11.6	三河海老	発	734	857	1019	1134	1257	1419	1534	1657	1819	1934	2104
15.4	田　峰	発	742	904	1027	1142	1304	1427	1542	1604	1827	1942	2112
18.1	清　崎	発	747	910	1032	1147	1310	1432	1547	1610	1832	1947	2117
22.6	三河田口	着	755	918	1040	1155	1318	1440	1555	1618	1840	1955	2125

キロ数	駅名		302	304	306	308	310	312	314	316	318	320	不322
0.0	三河田口	発	556	711	834	956	1111	1234	1356	1511	1634	1756	1958
4.5	清　崎	発	604	719	842	1004	1119	1242	1404	1519	1642	1804	2008
7.2	田　峰	発	610	726	848	1010	1126	1248	1410	1525	1648	1810	2011
11.0	三河海老	発	618	734	857	1018	1134	1257	1418	1534	1657	1818	2019
15.1	玖老勢	発	626	742	905	1026	1142	1305	1426	1542	1705	1826	2026
17.8	鳳来寺	発	631	748	911	1031	1148	1311	1431	1548	1711	1831	2032
22.6	鳳来寺口	着	639	756	919	1039	1156	1319	1439	1556	1719	1839	2039

※列車番号中「不」は不定期列車。

※豊川／鳳来寺鉄道区間のみの列車は除く。

※下りは鳳来寺口発12・32・57分、上りは三河田口発11・34・56分発のパターンダイヤとなっている。

出典：『時間表』（1939年８月、日本旅行協会）

■田口鉄道時刻表　1943（昭和18）年８月21日改正

キロ数	駅名										
0.0	本長篠	発	718	806	929	1131	1333	1532	1735	1830	1930
4.8	鳳来寺	発	728	816	939	1142	1344	1544	1747	1840	1947
15.4	田　峰	発	750	840	1005	1205	1400	1607	1811	1907	2005
22.6	三河田口	着	800	854	1019	1218	1414	1621	1825	1920	2019

キロ数	駅名										
0.0	三河田口	発	526	649	807	950	1234	1354	1503	1629	1832
7.2	田　峰	発	540	704	821	1006	1249	1409	1519	1644	1847
17.8	鳳来寺	発	602	728	843	1030	1315	1435	1543	1709	1912
22.6	本長篠	着	610	736	851	1040	1324	1444	1552	1718	1922

飯田線発足後（国有化）のダイヤ改正で、「鳳来寺口」が「本長篠」に改称されている。

大戦末期の危機的状況下で、往復９便に減便されている。

直通運転は不明。　　　　　出典：『時刻表』（1943年10月、東亜旅行社）

■田口鉄道時刻表　1945（昭和20）年９月18日改正

キロ数	駅名														
0.0	本長篠	発	603	720	806	917	1031	1121	1232	1321	1517	1630	1717	1831	2015
4.8	鳳来寺	発	612	731	817		この間、本長篠発時刻のみ掲載							1844	2023
15.4	田　峰	発	633	752	838		（各便三河田口行）							1904	…
22.6	三河田口	着	648	805	852									1918	…

キロ数	駅名														
0.0	三河田口	発	…	538	655	803	916	1009	1209	1409	1516	1605	1710	1800	1922
7.2	田　峰	発	521	552	709		この間、三河田口発時刻のみ掲載						1730	1825	1938
17.8	鳳来寺	発	534	613	730		（各便本長篠行）						1751	1844	1956
22.6	本長篠	着	542	620	738								1758	1852	2004

終戦直後の改正で、13往復が運転されている。

直通運転は実施されていたのか不明。　　　出典：『時刻表』（1946年１月、日本交通公社）　提供：藤井　建

■田口線時刻表　1956（昭和31）年11月19日改正

キロ数	駅名						不定期										不定期
0.0	豊　橋	発	…	…	…	…	…	…	…	…	…	…	…	…	…	…	…
32.1	本長篠	発	…	…	…	…	…	…	…	…	…	…	…	…	…	…	…
0.0	本長篠	発	653	740	830	922	1028	1048	1224	1337	1527	1627	1722	1827	1940	2038	2146
4.8	鳳来寺	発	702	749											1949	2047	
7.5	玖老勢	発	707	754											1955	2053	三
11.6	三河海老	発	715	802			この間、本長篠発時刻のみ掲載								2004	2101	河
15.4	田　峰	発	723	811			（各便三河田口行）								2012	2110	田
18.1	清　崎	発	729	817											2019	2116	口
22.6	三河田口	着	737	825											2027	2124	行

キロ数	駅名															不定期	…
0.0	三河田口	発	545	650	738	828	920	1045	1240	1350	1523	1628	1738	1841	1939	2037	…
4.5	清　崎	発	553	658										1850	1947		…
7.2	田　峰	発	559	704										1858	1953	本	…
11.0	三河海老	発	608	715				この間、三河田口発時刻のみ掲載						1907	2003	長	…
15.1	玖老勢	発	615	723				（各便本長篠行）						1915	2010	篠	…
17.8	鳳来寺	発	621	728										1921	2018	行	…
22.6	本長篠	着	630	737										1930	2025		…
0.0	本長篠	発	…	…	…	…	…	…	…	…	…	…	…	…	…	…	…
32.1	豊　橋	着	…	…	…	…	…	…	…	…	…	…	…	…	…	…	…

※豊鉄に合併直後の時刻表
※直通運転は実施されていたのか不明。

出典：『時刻表』（1957年１月、日本交通公社）　提供：藤井　建

■田口線時刻表　1962（昭和37）年６月

※豊橋直通最後の年。時刻表には直通運転の表示はない。

	キロ数	駅名						急行									
飯田線	0.0	豊　橋	発	…	555	625	735	854	936	1052	1240	1409	1527	1638	1707	2128	1939
	32.1	本長篠	発	…	652	728	832	931	1037	1158	1332	1504	1625	1728	1810	1920	2041
田口線	0.0	本長篠	発	611	654	735	838	934	1039	1201	1334	1506	1627	1731	1815	1922	2044
	22.6	三河田口	着	657	741	826	928	1024	1129	1251	1424	1556	1717	1821	1903	2010	2128

※本長篠発は時刻表上の発時刻（着時刻表示はない）。豊橋発8:54は準急伊那１号。
※着時記載のない田口線本長篠8:38〜17:31発までの表定時分は50分として作成。

	キロ数	駅名															
田口線	0.0	三河田口	発	452	543	640	723	808	933	1107	1159	1348	1449	1559	1641	1817	1923
	22.6	本長篠	着	537	630	725	813	857	1013	1157	1249	1438	1539	1649	1727	1901	2008
飯田線	0.0	本長篠	発	541	636	741	816	915	1035	1211	1250	1438	1542	1653	1744	1903	2015
	32.1	豊　橋	着	645	739	847	911	1016	1147	1311	1349	1534	1642	1801	1849	1956	2118

※直通運転は実施されていたのか不明。
※着時記載のない田口線三河田口7:23〜15:59発までの表定時分は50分として作成。

出典：『時刻表』（1962年６月、日本交通公社）

■田口線時刻表　1965（昭和40）年頃

	キロ数	駅名																			
飯田線	…	豊　橋	発	600	625	658	732	814	958	…	1030	1202	1331	…	1512	1639	1707	1806	1939
田口線	0.0	本長篠	発	654	734	801	833	923	1046	1142	1230	1325	1433	1505	1610	1729	1808	1922	2047
	15.4	田　峰	発	723	809	836	904	955	1117	1213	1305	1356	1504	1556	1639	1759	1839	1956	2117
	22.6	三河田口	着	737	823	…	918	1009	1131	1227	1319	1410	1518	1610	1653	1813	1853	2010	2131

	キロ数	駅名																			
田口線	0.0	三河田口	発	545	636	739	830	921	1014	1044	…	1233	1340	1415	1448	1541	1657	1823	1923
	7.2	田　峰	発	559	650	752	844	935	1028	1058	1129	1247	1356	1430	1504	1555	1711	1839	1937
	22.6	本長篠	発	634	742	824	922	1011	…	1140	1201	1323	1432	1503	1542	1634	1747	1919	2016
		豊　橋	着	739	848	911	1017	1120	…	1249	…	1421	1521	…	1643	1741	1851	2011	2118

出典：『とよはしの歴史』（1996年、豊橋市 編）

田口線唯一の電気機関車であったデキ53。田口鉄道開業に際し日本車輌で製造された機関車で、旧豊川鉄道デキ52と同様、箱型車体を持つ。水害前の1965年６月に渥美線へ転属、600Vに降圧されて1984年まで活躍した。
1965.5　三河田口　所蔵：NRA（P：倉知満孝）

4. 田口鉄道と田口線の車両

田口鉄道の保有車両はすでに述べてきたように、電気機関車１両と電動客車２両だけであり、誰が見ても足りない。そこで1943（昭和18）年の豊川鉄道などの国有化の際に、前述のように鉄道省宛「車両払下願」を提出した。理由は戦時輸送完遂のためとし、電気機関車１両と電動客車２両、附随客車１両を希望し輸送の完璧を期するとしたが、別に申請した貨車を除き実現はしなかった。

(1) 電気機関車

■デキ50形(53)

1929（昭和４）年の開業に備え、日本車輌で製造した40tデッキなし箱型車体を持つ電気機関車である。電機品は東洋電機製でモーターは東洋TDK-522-A（111.65kw×４）。機器室内は中央通路式で片側に抵抗器・MG、片側にCP・制御器などが配置され、左右で側面形態が異なる特異なスタイルであった。

田口鉄道唯一の機関車であり、旧鳳来寺鉄道のデキ50、豊川鉄道のデキ51・52・54と連続番号を付けられていた（ただし54は国鉄買収後に完成）。1943（昭和18）年８月の豊川鉄道国有化時には、デキ53を除く４両が買収対象となった。４両は旧所属会社もメ－カーも異なって

渥美線へ移りデキ451と改番された後のデキ53。1500Vに昇圧後、クリーム色＋赤帯の塗り分け塗装となった。
1970.11　高師
P：和久田康雄

豊川鉄道がデキ54として発注していた機関車は、国有化後の1944(昭和19)年に国鉄ED30形として竣工した(後にED25 11に改番)。1963年伊豆急に譲渡、晩年は東急電鉄で2009年まで無車籍の構内入換機械として使用された。　1955.5　中部天竜　P：竹中泰彦

いたが、国鉄形式・番号を与えられた。

買収後も田口鉄道は国鉄が運行管理を行っていたため、機関車の借用運用が行われた。しかしデキ53は飯田線発足後は国鉄線へ入ることはなかったという。それは国有化直前の1943(昭和18)年5月に、豊川鉄道江島駅で上り貨物列車を牽くデキ53号が豊川鉄道所属のモハ82＋クハ102と衝突しており、その後名鉄鳴海工場で修理され、白井 昭氏によるとその後も名鉄線内で使用されていたという。1952(昭和27)年5月の田口鉄道の自社運行開始時に田口線へ復帰した。

余談だが、戦後国鉄車両となっていた機関車はそれぞれ以下のように別々の運命をたどった。

・鳳来寺鉄道デキ100→デキ50→国鉄ED28 1→近江鉄道→山形交通
・豊川鉄道デキ51→国鉄ED28 2→遠州鉄道ED28 2
・豊川鉄道デキ52→国鉄ED29 1→岳南鉄道
・豊川鉄道デキ54→国鉄ED30 1→ED25 11→伊豆急行ED25 11→東急ED30 1(無車籍)

デキ53は田口線へ復帰した1952(昭和27)年5月からは社線内運用に限定されが、その後貨物が減少した1965(昭和40)年6月に渥美線への転用が決まり、600Vに降圧されデキ450形451となった。それ以後の田口線貨物は混合列車として電車が牽引することになり、30形も自連装備となった。

渥美線へ転属した451は1970(昭和45)年に前照灯をシールドビームに変更した。しかし渥美線の貨物輸送量も減少したことから、貨物営業の廃止を待たずに1974(昭和49)年3月に廃車された。

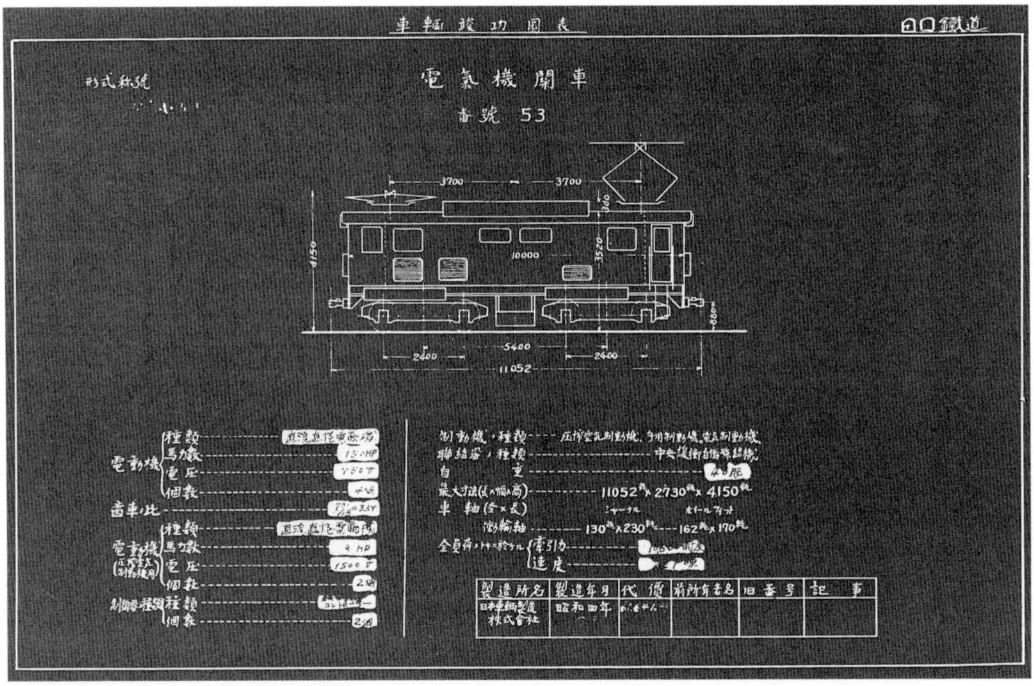

車両竣工図表 電気機関車 番号53　田口鉄道

鳳来寺駅に停車中のモハ10形15号。車体に鋼板を張った木造車で、車体下のトラス棒がその素性を物語る。
1965.3.9　鳳来寺　P：荻原二郎

(2) 電車

■モハ10形(14・15)

1925(大正14)年7月日本車輛製の木造シングルルーフのボギー車で、製造時は田口鉄道の車両ではなく、旧豊川鉄道と旧鳳来寺鉄道が電化に際しそれぞれ5両と1両の計6両をまとめて発注したモハ1形(後のモハ10形10～15)である。

木造車ながら丸屋根の車体で、1D33D33D1の窓配置であった。当時、田口鉄道自社発注のモハ36・37

豊川鉄道の国有化により国鉄所属となった木造車モハ14号。1951年の廃車後にモハ15とともに自社線運行用として田口鉄道に譲渡された。
1950.8.25　豊橋機関区　P：道村　博

田口線晩年期のモハ14＋15の２両編成。前照灯はシールドビーム２灯化されている。　1968.8　所蔵：NRA（P：倉知満孝）

が豊橋直通用の共通運用に供出され管理も豊川鉄道に委託されていたため、田口鉄道線内の運用車両としてモハ10形が使用されていた。

1943（昭和18）年の豊川鉄道国有化後は車号はそのままモハ10形として国鉄に買収されたが、国鉄の体質改善に伴い淘汰されることになり、11・12は廃車、10・13は大井川鉄道へ売却され、モハ14・15を田口鉄道が譲り受けた。その際、車体外板に鉄板を張り、マルーンとオレンジに塗分けられ、線内専用車として活躍した。

1968（昭和43）年8月31日の廃線の際は、渥美線への転用もなく廃車された。15号は最終日のお別れ列車として装飾されたが、14号は廃車後、田口市街地の山手中腹にあった奥三河郷土館で静態保存され資料館として利用された。2020（令和２）年11月には清崎への資料館の移転に合わせトレーラーに載せられて山を下り、「奥三河郷土館（田口線車両展示施設）・道の駅したら」として2021（令和３）年５月にオープンしている。

2021年５月13日にオープンした「道の駅したら」に併設の奥三河郷土館に展示された、モハ14保存車。前照灯は１灯に戻されている。
2021.5.28　奥三河郷土館　P：藤井　建

豊橋直通運用時代のモハ30形36号。国鉄車両と連結するため密連を装備していたが、1965年以降は電気機関車デキ53に代わり貨物列車を牽引するため、自連化された。
1963.3　豊橋機関区　所蔵：NRA(P：神谷静治)

■モハ30形(36・37・38)

モハ30形のうち36・37の２両は田口鉄道の創業時に日本車輌で新造した半鋼製車両で、田口鉄道の自社車両である。この車両は姉妹(親)会社である豊川鉄道のモハ30形と同形の半鋼製車両であり、同社の31～33と同時に製造された田口鉄道３形(電101・102)である。川崎造船製の「川造型」を思わせるスタイルだが、この車両は半鋼製車である点が異なる。なお豊川・鳳来寺鉄道は「川造型」全鋼製車もモ20形として導入している。

この車両は愛電系であった豊川鉄道グループの車両であったが、愛電方式とは異なり電動機は東洋電機のTDK-36(70.84kw×４)、制御器はES-156-Bの電動カム式を採用した。1937(昭和12)年7月１日、形式称号をモハ101～102に改称、翌1938年１月20日にモハ30形(36・37)に改番されている。

1943(昭和18)年の国有化で豊川鉄道のモハ30形はモハ1610～1612となり、鳳来寺鉄道からのモハ20形は1700形となった。

田口鉄道は国有化されなかったが、運転は国鉄に委託を継続した。しかし、国有化された戦後の飯田線には省型国電の転入が始まり、1952(昭和27)年になると飯田線には国鉄仕様車両が多数を占めるようになって、在来買収車は国鉄車両とは併結運転ができなくな

1965年９月の水害前のモハ30形36号。36号と14号はこの後水害により三河田口駅に取り残されたが、同年11月４日に仮復旧線を経由して救出された。後に自連化・シールドビーム２灯化されている(14頁参照)。
1965.3.9　三河田口
P：荻原二郎

飯田線三河大野行電車の後部に連結された田口鉄道モハ30形37号。いわゆる「川造型」とよく似ているが、本車は日本車輌の製造による。
1950年頃　飯田線内　所蔵：NRA（P：神谷静治）

ったことから、乗り入れ運転は一旦中止となった。同年末には国鉄豊川分工場（当時）で、制御器の改造、密着連結器装備、自動扉化、乗務室扉設置の改造等を行い、翌年飯田線列車との併結運転が復活、直通運転が復活した。

1956（昭和31）年10月1日に旧田口鉄道は豊橋鉄道田口線となったが、その際豊橋鉄道は福塩線で廃車された国鉄モハ1610号（旧豊川鉄道31）を購入してモハ38とし、豊橋直通車両を増備した。故郷へ戻った38は36・37と同様に豊川分工場で改造され、台車もD-18に戻した。直通運転再開時は併結列車の先頭となることもあったが、国鉄型車両の運転室より狭く、窮屈であることから乗務員に嫌われ、後部に連結されるようになった。なおモハ38が濃緑色に塗られた1961（昭和36）年1月の写真があるが、名鉄カラーにⅢの等級標記があって大変珍しい。

本長篠駅のモハ37号。飯田線直通運用から外れたことから、連結器を貨物牽引可能な自動連結器に交換している。
1966.3　本長篠　P：清水　武

国鉄より1956(昭和31)年に譲渡されたモハ30形38号。車体塗色も国鉄車と同じぶどう色で、田口線廃止より一足先の1966(昭和41)年に渥美線へ転属した。
1965.5　三河田口
所蔵：NRA(P：倉知満孝)

豊橋直通は1963(昭和38)年3月24日、豊川分工場の閉鎖を機に廃止となった。伝統ある直通運転の歴史のなかは1950(昭和25)年には名鉄車両、近鉄車両も鳳来寺の紅葉狩りシーズンに乗り入れたという。これとは別に毎年11月23日の「鳳来寺もみじ祭り」のシーズンには、国鉄車両(クモハ11・14形などのMc-Tc)を借り本長篠〜鳳来寺間でピストン輸送に従事。この際、朝・夕の豊橋からの借り入れに際しては客扱いで輸送した。年によっては三河田口まで入ったこともあるという。これは田口線廃止の前年まで続いた。

そのほか、1961(昭和36)年夏には名古屋から飯田線用車両(クモハ42・クハ47)による臨時列車が鳳来寺まで1往復乗り入れた。

この半鋼製車のモハ30形3両は、田口線廃止により600V化され渥美線へ移ったが、38は国鉄時代に窓枠のアルミサッシ化、蛍光灯化も済んでおり、旅客減少により一足先の1966(昭和41)年4月23日に渥美線へ移りモ1713と改番され、元西武鉄道のク2311とペアを組み使用された。

最後まで田口線に残った37は全線廃止の翌日1968

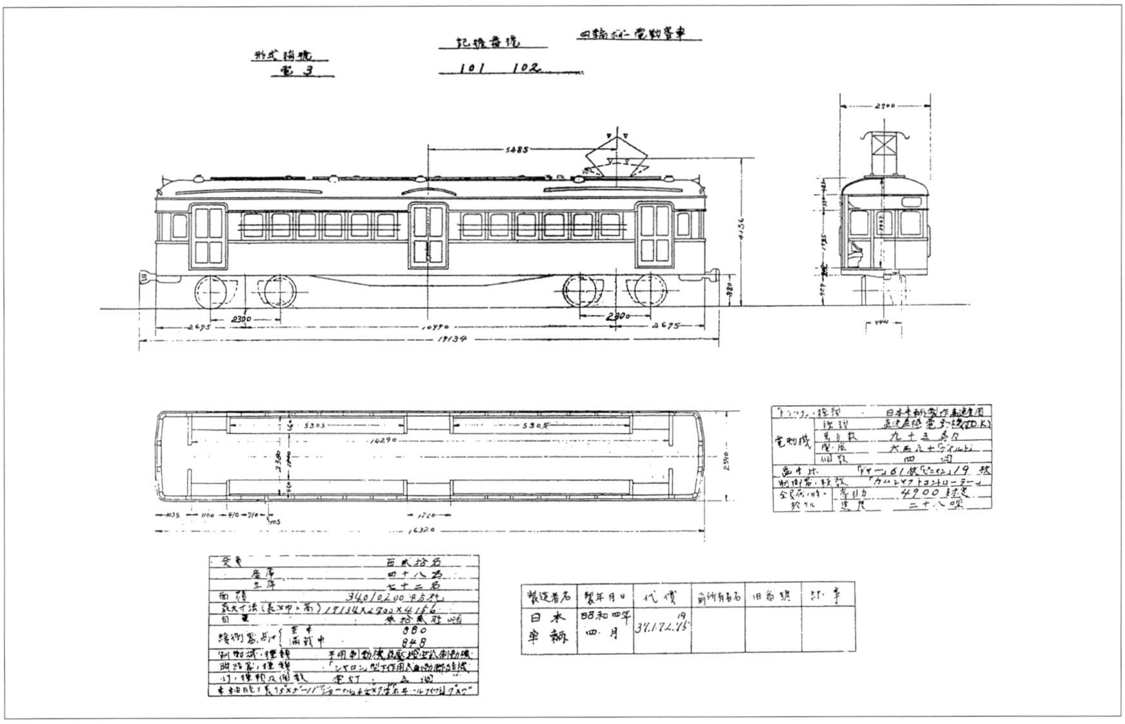

車輌竣工図表 四輪ボギー電動客車 形式称号 電3 記号番号101・102
田口鉄道株式会社

モハ30形37号の車内。半鋼製で、側窓は一段下降式のいわゆる「落とし窓」となっていた(渥美線転属後に二段窓改造)。
所蔵：NRA(P：神谷静治)

(昭和43) 年９月２日、飯田線経由で渥美線へ移動した。36は前日の雨で清崎～三河海老間が不通となり、清崎駅に取り残されたが、1968(昭和43) 年10月７日から３日がかりでトレーラーで搬出された。

渥美線転属後はモ1711・1712と改番され、両運車のためラッシュ時の増結用に使用されることが多かった。廃車は1711(旧36)、1712(旧37) が1986(昭和61)年。残りの1713(38)は1992(平成４)年であった。

渥美線に転属後のモ1710形1712号(旧番モハ→モ37)。晩年はクリーム色地に赤帯の派手な姿で活躍した。
1981.8.30　高師　P：宮下洋一

渥美線に転属後のモ1710形1713号(旧番モハ→モ38)。同形３両のうち1713のみ側窓上段がHゴム支持とされた。1971(昭和46) 年に片運転台化と貫通路が新設され、ク2311と編成を組むようになった。　1984.1.21　高師　P：坂内定比古

1955(昭和30)年、豊栄工業で無蓋貨車トム602を団体輸送用に２軸付随車化したサハ201。1955年頃　三河海老　所蔵：NRA(P：神谷静治)

■サハ200形(201)

1955(昭和30)年７月、地元の豊栄工業で田口鉄道のトム602(旧国鉄トム6782)を改造して団体輸送用に仕立てた２軸客車で、片側１扉。晩年はモハ10形と同じツートンカラーに塗られていた。あまり使用されることなく1962(昭和37)年７月27日に廃車された。

サハ201の室内。車端に手ブレーキハンドルが設けられている。　1955年頃　所蔵：NRA(P：神谷静治)

1962年に廃車となって、三河海老駅の構内に倉庫として置かれたサハ201。　1965.5　三河海老　所蔵：NRA(P：倉知満孝)

貨車ワブ71。1901(明治34)年日車製の有蓋車緩急車で、国有化直前の鳳来寺鉄道からワブ101・102として譲渡された、田口鉄道としては最初の自社保有貨車で、自線内運用に終始した。
1963年頃　本長篠　所蔵：NRA(P：神谷静治)

(3) 貨車

貨車は路線の性格上、木材輸送用に無蓋車が多かったが、自社での新造車はなく国鉄からの払い下げを受けるまでは営業輸送は迎車に頼る輸送が主であったようだ。しかし、直接国鉄線と接していない田口鉄道へ国鉄車両を迎車として取り込むのは苦労があったことと思われる。

迎車となる他社線所属車両の直通運転申請は、客車を含めて9～12頁別表-1～5の通りである。

■ワブ70形→ワ70形(71・72)

1901(明治34)年製の日車製の6 t積有蓋緩急車であり、1943(昭和18)年7月20日認可で譲り受けた。元は豊川鉄道のワフ4と5で、鳳来寺鉄道が開業時に豊川鉄道から譲り受けたワブ101・102である。それを鳳来寺鉄道の買収を前に田口鉄道が購入した。

1927(昭和2)年の自連化にあたって台枠補強がされているが、ワブ102は台枠腐朽を理由に1940(昭和15)年10月4日届で廃車されていた状態不良車を復活させたものであった。そのためワブ72は終戦後の1947年10月1日届けで早々に廃車された。

ワブ71も軸距2,743mmと国鉄規定の3,000 mmに満たないことから線内用とされ、戦後、車掌室撤去と車側制動化が行われワ71と改番された。1967(昭和42)年2月に廃車された。

貨車ワブ71は後年車掌室を撤去し、車側制動機を設置してワ71に改番されたが、1967年2月に廃車。写真は廃車後の姿。
1968.8.3　三河海老　P：和久田康雄

■ト100形(101 ～ 103)

1942(昭和17)年に鉄道省から道床厚不足を指摘されたことから、1943(昭和18)年鉄道省へ貨車３両の払い下げを申請し、翌年４月12日に認可された。松任工場で木部腐朽部分の修理の後、ト101(旧ト499)、ト102(旧ト488)、ト103(旧ト312)の払い下げを受けた。形態は不明だが三枚側平妻、一枚アオリ戸であった。木材輸送ではなく自社の保線用で道床厚増加のためのバラスト散布用に使用されたと思われる。1967(昭和42)年５月20日に廃車された。

■ワ80形(81)

これは日本毛織一宮工場の構内使用車を1943(昭和18)年に譲り受けたものである。元は同社工場の前身、昭和毛織へ国鉄のワ5542か239が払い下げられた記録が「鉄道公報」にあり、そのいずれかが該当する車であった。

しかし、入線に際して鉄道省から求められた図面もなく再製。車軸寸法の過小を指摘されるなど、認可を受けるのに難渋したという。これも社線内使用に終始し、1967(昭和42)年２月29日廃車。

■ト150形(157)・トフ71形(71)

1925(大正14)年日車製の10ｔ車積無蓋車。元渥美鉄道の車両で、両車は車側制動と手制動の違いを除けば同形の三枚側、山型妻一枚アオリ戸である。渥美鉄道時代はト702とフト703として新造されたが、フトは国鉄の標記変更に従い1928(昭和３)年11月15日届けでト703となり、名鉄合併でそれぞれ表記の番号になった。

そのため、トフ71については名称がトフだが一端に手動ハンドルがあるだけで、車掌室がある訳ではない。渥美線在籍時から一貫して非直通車で、空気制動は持たない。1959(昭和34)年頃田口線に転入したが、1963(昭和38)年５月20日に２両とも廃車。

■ト200形(200)

国鉄ト6000形を譲り受けたもので、旧番号はト6865。認可は1953(昭和28)年６月８日であるが、鉄道公報の連絡直通貨車の公示には1948(昭和23)年２月26日の達81であるため、実際の入線はもっと早い。

四枚側平妻で認可上は10ｔ無蓋車であるが、鉄道公報では12ｔ積に引き上げられており、他車より１枚多いアオリ戸を生かして増積を行っていた可能性がある。

本車は購入当時より空気制動を持ち、国鉄直通車として使用された。1963(昭和38)年７月４日認可で渥美線に転属している。

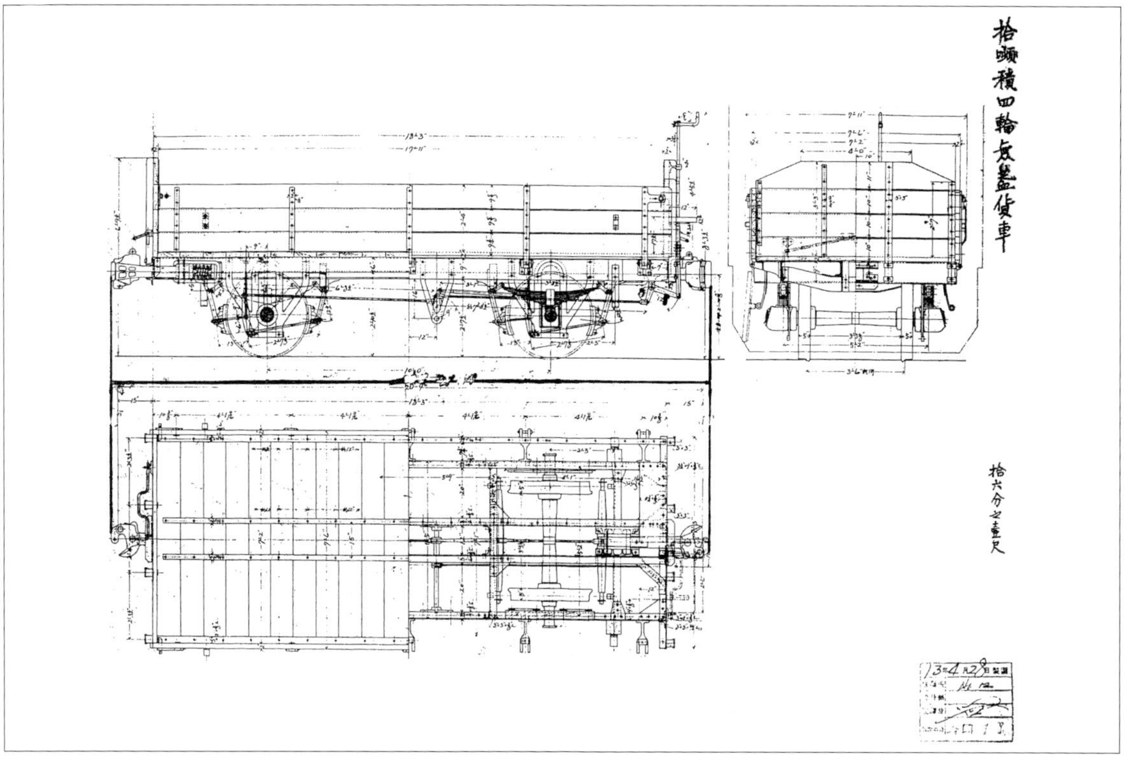

十噸積四輪無蓋貨車 渥美電鉄フト703(後の名古屋鉄道トフ71) 大正14年３月23日設計認可添付

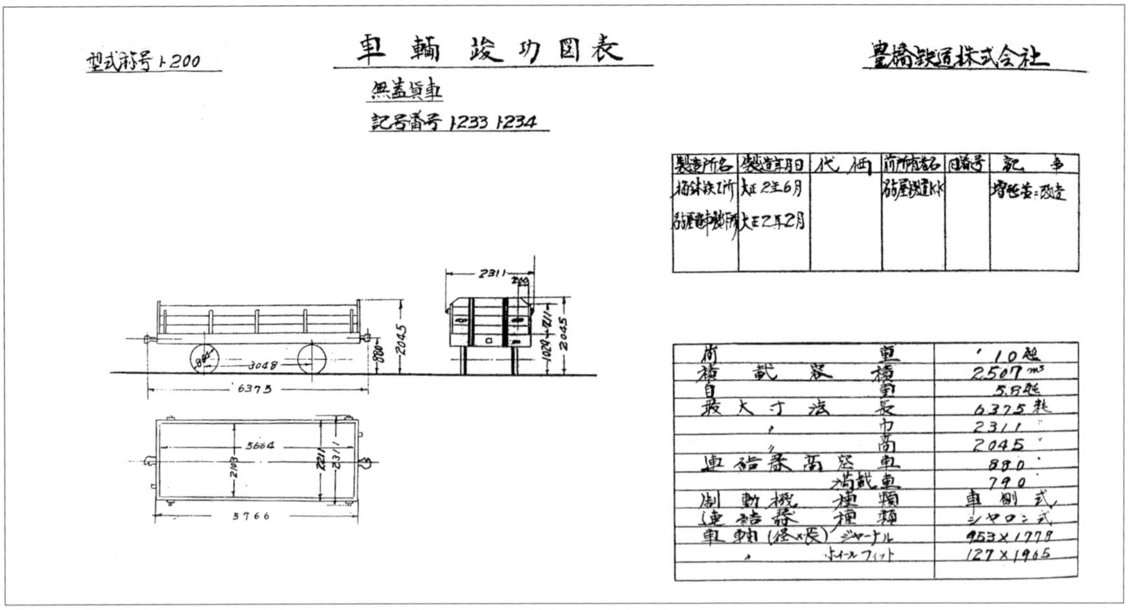

車輌竣工図表　無蓋車　形式称号ト200 記号番号トム233・234　豊橋鉄道株式会社

■ト200形(233・234)

1913(大正２)年、梅鉢・名古屋電車製の元愛電の10ｔ積無蓋車。1955(昭和30)年５月２日認可で豊橋鉄道が名鉄から譲り受けた貨車で、当初は渥美線で使用されたが1959(昭和34)年に田口線に転入した。

形態は三枚側山形妻で、一枚アオリ戸であるためト201とは容積が異なり、本来なら別形式を起こすべき車であるが、譲り受け以来改番せずに使用されたことからト200形に編入される形になってしまった。

国鉄直通車として使用されたが、空気制動がなかったため1963(昭和38)年にこれを設置、本車は田口線の廃線まで在籍し、廃車された。

■ト250形(251 ～ 254)

国鉄ト1形を譲受したもので旧番号はト15684・1281・16832・15294。経過はト201と同様で正式認可と実際の入線時期が異なる。国鉄形式はト100形と同じで同じであるが、山形妻で空気制動を持ち国鉄直通車として使用されたため形式が分けられた。1963(昭和38)年７月４日認可で４両とも渥美線に転属した。

田口線から渥美線に移ったト250形251・252。国鉄直通車を示す車番下の二重線が残されているが、ト251の標記から「１」が消えている。
1967.1.7　高師　P：和久田康雄

貨車トム650形トム653。豊橋鉄道になってから実現した国鉄払い下げ車両。標記が混乱している。
1959年頃　場所不明　P：白井　昭

■別表７　無蓋貨車設計について
出典：鉄道省文書 田口鉄道　所蔵：国立公文書館
1953（昭和28）年４月９日 田口鉄道申請
1953（昭和28）年５月２日 豊橋鉄道認可

車種	旧(省)形式・称号	旧(省)記号・番号	新(当社)形式・称号	新(当社)記号・番号
無蓋貨車	ト6000	ト6865	ト200	ト201
	ト１	ト15684	ト250	ト251
		ト1281		ト252
		ト16832		ト253
		ト15294		ト254
	トム5000	トム10075	トム600	トム601
		トム6782		トム602
	トム１	トム800	トム650	トム651
		トム1069		トム652
		トム1291		トム653

■トム600形（601・602）
■トム650形（651 ～ 653）

国鉄から譲受した観音開き式の側扉を有する15t積無蓋車で、トム600形が長軸のトム5000形、トム650形が短軸のトム１形を出自とする以外は同型である。旧番号は番号順にトム10075・6782、800・1069・1291である。これもト200形同様に戦後の早い段階で入線したものを1953年６月８日に正式認可を受けた。

購入当時から空気制動を持ち国鉄直通車として使用されたが、前述の通りトム602は1955（昭和30）年７月30日認可でサハ201に改造された。残る４両は1963（昭和38）年７月４日認可で渥美線へ転属した。

■トム800形（899・900）

1924（大正13）年東洋車両製の15ｔ積無蓋車で、元は三河鉄道出自の名鉄の同番号車。国鉄トム5000と同形のため本来なら先のトム600形に編入されるべき車両だが、豊橋鉄道が1955（昭和30）年５月２日認可で譲受した後も改番せずに使用した。当初は渥美線に配属され、1959（昭和34）年に田口線に転入したものの、1964（昭和39）年８月６日認可で渥美線に戻された。

田口鉄道（田口線）に在籍した貨車は以上のようであるが、自社車両は、戦後豊橋鉄道になって増車手続きが完了するまで少なく、迎車による輸送が主力であった。

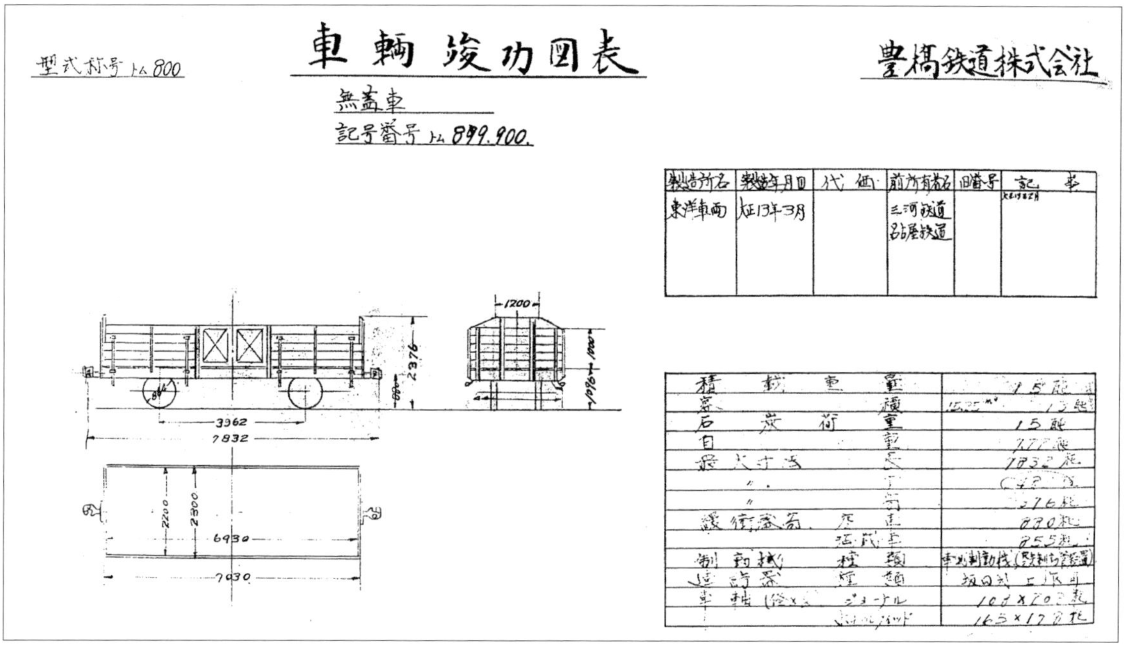

車輌竣工図表 無蓋車 形式称号トム800 記号番号トム899・900　豊橋鉄道株式会社

おわりに

創業時は木材輸送を目的にし、デキ53という立派な機関車を準備した甲斐もあったろうが、1960（昭和35）年には森林鉄道も廃止され、残った出材貨物もトラック輸送に移り、デキ53も路線廃止を待たずに山を下りた。1942（昭和17）年８月１日には自家用線路砕石の製造を開始し、1955（昭和30）年には2700坪の原石山を購入、砕石機３台で1,200m^3の砕石を生産し、外販するに至ったが、貨物輸送を継続する助けにはならなかった。むしろ最後は、飯田線本長篠駅から清崎地区の製材所へ材木を搬入する混合列車の姿さえ見られた（豊橋鉄道の「鉄道カード」に掲載）。

最後に至るまで永年田口鉄道の車両保守の面倒を見てきた豊川鉄道の後を引き継いだのが国鉄豊川分工場である。この工場は、1942（昭和17）年開設の旧海軍工廠が終戦直前に爆撃された跡地に建設され、1963（昭和38）年まで国鉄車両工場となっていた。現在は日本車輌豊川製作所に生まれ変わり、盛業中である。

また渥美線へ転じた車両もすべて姿を消し、2021（令和３）年に清崎に移され郷土館として展示再開されたモハ14と、沿線各地に残る線路跡だけが田口線の遺構となった。僅かな記憶と写真、諸先輩の研究、記録を頼りに本稿をまとめてみたが、思い出のよすがとなれば幸いである。

最後に改めて澤内一晃氏、藤井　建氏からの資料の提供・ご協力、ご指導に感謝いたします。特に数度に亘り原稿のチェック、資料の提供をいただいた澤内氏には重ねて御礼申し上げます。

清水　武（鉄研三田会会員）

●参考文献

『鳳来寺町誌』田口鉄道史編（1996.3.15　鳳来町教育委員会）
『田口鉄道』（非売品　1956.9.30　田口鉄道株式会社）
『鉄道省文書』（澤内一晃氏提供）
『伊奈彦定画集第２集 設楽なつかしの田口線』伊奈彦定（1996年　豊川堂）
『飯田線の旅』鈴木雅晴（1999.7.1　自費出版）
『鉄道ピクトリアル』 No.168（1962）、244（1970）、461（1986）（鉄道図書刊行会）
『名古屋鉄道社史』（1961年　名古屋鉄道株式会社）
『豊川・蒲郡・新城・北設の昭和』（2011.10　樹林社）
『鉄道ファン』より「消えゆく路線を訪ねて 豊橋鉄道田口線」（1965.4　交友社）
『国有林森林鉄道全データ中部編』矢部三雄（2015.7.31　信濃毎日新聞社）
『私鉄買収国電』佐竹保雄・佐竹　晃（2002.10.1　ネコ・パブリッシング）
『日本の電気機関車』田中隆三（1964.12.20　電気車研究会）
『増補版 写真で綴る飯田線の旧型国電』宮下洋一（2020.10.22　ネコ・パブリッシング）

飯田線から分岐する本長篠の上りカーブを通って三河田口へ向かうモハ30形38号。
1965.3.9　本長篠—三河大草
P：荻原二郎